あれも、これも、
おいしい手作り生活。

絵と文　まめこ

sanctuarybooks

※姉は外出中でチヨピをうちで預かっていた

コミ〜 昔よく べっこう 飴を 作って くれた よね
今から作ろうと 思うんだけど 作り方を教えてよ！
むすびっ
わぁ〜 なつかしい
いいよいいよ さっそく作ろう
ということで、急きょはじまった 親子3代（チヨピはめいだけど…）べっこう飴作り
それではお水と 砂糖とお酢を 用意してくださ〜い！
料理長
材料
砂糖　150g
水　大さじ3
酢　小さじ1
お酢？
すっぱい〜
このお酢が 隠し味！ まろやかになるんだよ
へー 不思議！
作り方はいたって簡単
①鍋に砂糖と水を入れ中火にかける
②ゆっくりとかき混ぜて 沸騰したところで酢を入れる
お酢を入れた直後は ツンツンした匂いが 鼻につきますが…

徐々にべっこう飴の香りに近づいてきます
いい香り〜
③黄金色になるまで煮詰めたら火を止める
作り始めて17分でできた!
黄色くなり始めると黄金色になるまで早いです。
④オーブンシートやアルミカップなどに流しそのまま固める
鍋の熱でコゲていくので手早く!
完成〜!!
やさしい味〜
こんなに簡単でシンプルな材料なのにおいしい〜
作る工程も楽しかったね!
こくこくッ

それからというもの
市販品ですませていたものを
手作りすることが多くなりました
今日はベーグルを作っちゃおう!
♪〜
失敗も多かったですが、編集部の
皆さんをはじめ、たくさんの方に
情報をいただき
梅干し
生キャラメル
手作りお味噌
コミにも…
ハム
気づけば食卓にたくさんの自家製
食品が並ぶようになりました
手作り食品の魅力は
①おいしい!!
素材の持つ本来の味をダイレクト
に味わえるのは手作りならでは
②楽しい
「こんなふうに作るんだ」という
驚きがあります。まるで夏休みの
自由研究のよう
③安心・安全
保存料、着色料ゼロ! アレル
ギーのある方でも自分で作れば何
が入ってるかわかるので安心
④安上がり
レシピにもよりますが買うよりお
得なものが多く、家計にやさしい
この本は数十分で作れるものから
手間ひまかけて作るものまで
いろんなレシピを集めました
レシピと
コミックで
分かりやすい!
コツや失敗しやすいポイント
などはコミックでまとめています
あなたもぜひおいしい手作り生活
をはじめてみてくださいね!
一緒に
レッツ
クッキング!!

contents 目次

春

spring

夏

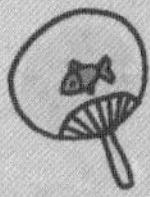

summer

contents 目次

秋

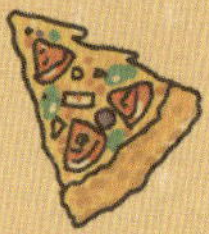

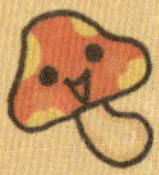

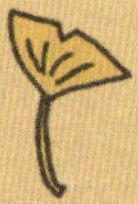

autumn

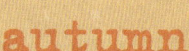

冬

winter

contents

目次

* 大さじ 1 ＝ 15cc、小さじ 1 ＝ 5cc です。
* 特に表記のないものは、作りやすい分量になっています。
*「適量」とある場合は、お好みに応じて分量を調節してください。
* レシピ写真の分量と、材料表の分量は異なる場合があります。
* 電子レンジの加熱時間は、500W を目安としています。
* ハーブやスパイス類は、特に表記のない限り、パウダーを使用しています。
* 本書にある難易度は、「作るのにかかる時間や工程の複雑さ」ではなく、「成功しやすいか否か」で判断しています。また、これらはあくまでも著者本人の評価ですので目安としてください。
*「準備する器具」は、調理でよく使うもの（鍋類や包丁等）は除いています。
*「保存期間」は目安です。保存環境によって変わりますので、できるだけ早く食べ切ることをオススメします。

main characters

登場人物紹介

まめこ（豆）

作家・イラストレーター。あるきっかけで手作り食品のおいしさに目覚める。めいのチヨピを溺愛しているが、想いがなかなか本人に届かないのが悩み。アジアンフード好き。

母（コミ）

著者の母。食べることが大好き。ダイエットも考えているようだが、食べているときはすっかり忘れてしまう模様。背が小さく、ミナコという名前から「小(コ)ミナコ」→「コミ」と呼ばれている。

姉（ゆんこ）

著者の姉でチヨピの母。数年前に嫁いだが、チヨピと一緒にちょくちょく実家に帰ってくる。著者と仲がいいんだか、悪いんだかよくわからない。でも、その見た目に反して心優しいとか。

チヨピ

著者のめい·2歳。本名をもじって、チヨピと呼ばれている。家族からの愛を一身に受け、スクスクと成長中。

好きなモノは  と 

祖母

父

グーグーちゃん

ペコペコ先生

新年度のはじまりにぴったりのレシピで
春の息吹に触れる

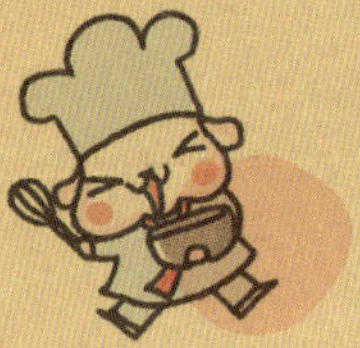

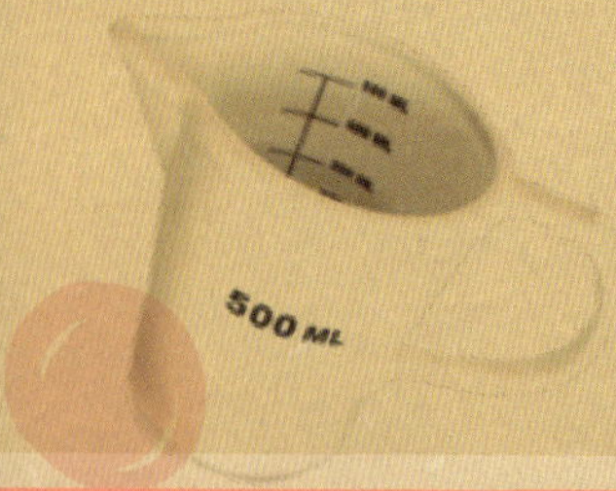

春

spring

シャカシャカふるだけ！

バター

難易度 ★☆☆☆☆

材料　約100g分

生クリーム（動物性脂肪35%以上）　200cc
塩　小さじ1

無塩バターにしたい場合は、塩を入れないでね！
塩

保存期間

冷蔵で4〜5日

butter

作り方

1 生クリームをパッケージごと上下にふる（約10分）

2 水分（バターミルク）と固体（バター）が分離したら、スプーンの背中でバターを押して水分をしぼる

3 塩を加えて練り、キッチンペーパーで包んでしばらく置き、水気を抜く

あまったバターミルクを使って

カッテージチーズ

難易度 ★☆☆☆☆

準備する器具

さらしの布，
ザル

保存期間

冷蔵で4〜5日

cottage cheese

材料　約20g分

バターミルク（牛乳）　100cc
酢　小さじ1

作り方

1 鍋にバターミルクを入れ中火にかけ、鍋肌にプツプツと泡がでてきたら火を止める

2 酢を加えて軽くかき混ぜ、5分ほどそのまま置く

3 ザルにさらしの布を敷き2を入れ、そのまま30分ほど置いたら、軽くしぼる

市販品では味わえない濃厚な味わい

ピーナツバター

難易度 ★★☆☆☆

材 料　約100g分

ピーナツ　薄皮をむいた状態で150g
無塩バター　40g
砂糖(ハチミツ)　大さじ2

準備する器具

ミルサー,(裏ごし器)

保存期間

冷蔵で3週間

作り方

1 バターは室温に戻しておく。ピーナツは薄皮をむき、ミルサーにかける。すり鉢でする場合は、包丁で細かく刻んでから

最後に裏ごしすると、クリーミーなピーナツバターに✧

2 ピーナツから油分がでてしっとりしたらバターと砂糖を加え、なめらかになるまで混ぜ合わせる

トロッとしたなめらかな口当たり

ヨーグルト

難易度 ★☆☆☆☆

材 料

プレーンヨーグルト(市販)　40g
牛乳　200cc

※低温殺菌乳は固まらないので不向き

準備する器具

保存容器

保存期間

冷蔵で5日

作り方

1 鍋に牛乳を入れ40℃になるまで加熱したら、ヨーグルトを加えてよく混ぜ、保存容器に移す

2 40℃前後を保ち、6時間ほど発酵させる。45℃を超えたり、長時間発酵させたままにするとすっぱくなるので注意！

できあがったヨーグルトをタネにして、3回ほどはまたヨーグルトを作ることができる。それ以上は菌が弱まり、雑菌も増えるのでオススメしません

ある日のこと。我が家に遊びにやって来ためい・チヨピが
チヨピちゃんもなんかちゅくりてゃい!!(作りたい)
と言うので…
おば&めいの
手作り教室
バター作りをすることに
バター作りはパッケージのままでもできますがペットボトルに入れ替えると…
これシャカシャカふって~
シャカ
シャカ
シャカ
シャカ
チヨピは踊りが得意
中の様子がよく見えて面白い
あきた
うーんまだまだだね…
ぬお~~ッ
シャカシャカシャカシャカッ
約10分
音がしなくなったら「ふり混ぜる」ようにするのがポイント!
キャ キャ
こうすると固体(バター)と水分(バターミルク)に分かれます
くるくる…

このバターミルクでカッテージチーズが作れちゃいます!!
お酢の代わりにリンゴ酢やレモン汁を使っても、それぞれの風味が楽しめます✧
私はレモン汁で作りトーストにハチミツと一緒にのせて食べてます
オイシ〜
ハチミツ
さらにこのときに残った水分も捨てないで活用!!
ホエー(乳清)と言って栄養たっぷりなんです!
ホエー!
牛乳と砂糖をプラスしてサワードリンクにしたり…
ベーグルやパン作りのときに水の代わりとして入れたり…
ドレッシングに混ぜたりカレーなどの煮込み料理に入れるのもアリ!
バター
カッテージチーズ
サワードリンク
ホラ! チヨピ〜 生クリームからこんなにいろんなものができちゃったよ!
ねぇ チヨピ! …あら?
姉
コミと公園へ行きました

はんー
…っていうか
そんなものじゃ
チヨピの心は
つかめま
せんから
じゃあ
このバターを
使って
ピーナツ
バターを!!
うぬうッ
手作りしたピーナツバターを
一度食べると市販のものが
食べられなくなるほど
おいしくってよ!!
掲載レシピではぶきましたが
時間があったら最後に
裏ごししてみてください
くッ
この作業、
ねっとりしてる
のでけっこう大変
(内側)もっちょりしたのが出てくる
なめらかになって
かなり本格的な味に!!
フォフォッフォッフォッ
私より
さらに
上が…!!
有塩バターで
作っても
塩味がアクセントに
なっておいしいよ!
流行りの塩スイーツのよう!
有塩
バナナに合う!
カロリーは気になるけど濃
厚でと〜ってもオイシイ!!
姉
ねえ、ちょっと!
なにコレ!?

あ!!
ごめんごめん ヨーグルトを 作ってたんだった。 お風呂のお湯で温度 調節してたんだよ
忘れてた。
…っていうか今からおフロ入んの?
ふ〜ん、一緒に入ってもいい?
私は温度調節をする際、ヨーグルトの入った容器を密封袋に入れてお風呂に入れていましたが他にもこんな方法が
40℃に保つ方法
コタツの隅に置く
プチプチやタオルなどで容器を包み、電気カーペット(床暖房)、DVDプレイヤーなどの上に置く
容器を45℃近くのお湯を入れた発泡スチロールに入れる。
容器に水が入らないよう気をつけてね!!
ただい…
あッ!!
このヨーグルト 味にふくらみがある! ピーナツバターは こってりしてて たまらない〜
カロリーなんて言葉知らない!!
チヨピちゃんもおせんべ!!
チヨピ…
うっ、おせんべいに負けた…

本物のいちごより、いちご味

いちごジャム いちごシロップ

難易度 ★★☆☆☆

材料

いちご　適量
砂糖　いちごに対して60%程度
レモン汁　適量

準備する器具

ザル

保存期間

ジャム：冷蔵で３ヵ月
シロップ：冷蔵で１ヵ月

糖度が高いほど日持ちする。砂糖の量をいちごに対して80%以上にすれば半年程度持つ

strawberry jam + syrup

作り方

1 いちごは水洗いし、ヘタを取る

2 鍋にいちごと砂糖を入れ、１時間ほど置く（いちごから水分がでてくる）

3 弱火で砂糖を煮溶かし、でてくるアクをていねいに取りながら20分ほど弱火で煮る

4 いちごをザルでこす。こしたときの液体がいちごシロップ

5 こしたいちごシロップの半分くらいを鍋に戻し入れる

6 レモン汁を加え、全体にとろみがでるまで弱火で煮詰める。冷めると固くなるので、ちょっとゆるいと感じるくらいで火を止めて。いちごは、つぶしながら煮てもよい

いちごシロップは飲料（水やソーダ水）で割ったり、かき氷にかけたり、ヨーグルトやアイスなどに混ぜて。ゼリーにしてもおいしい

ほろ苦さがクセになる

マーマレードジャム

難易度 ★★★☆☆

材料

甘夏(夏みかん)　適量
砂糖　実と皮の総量に対して 60%程度

※皮も使用するので、できれば無農薬のものを用意する。手に入らない場合は、皮をタワシでこすってお湯で洗い流す

準備する器具

ザル

保存期間

冷蔵で 3 ヵ月

作り方

1 甘夏はていねいに水洗いし、皮に十字の切り目を入れてむく

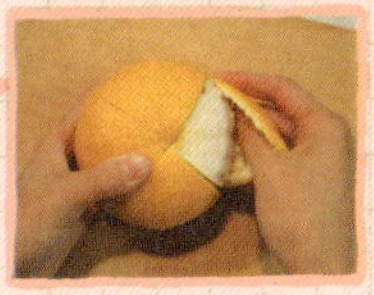

2 実は袋と種を取り除く。むいた皮は、白いわたをそぎ取る

3 実と皮の総量を量り、砂糖の量を決める。2 の皮を縦長方向に薄くスライスする

4 お湯を沸かし、スライスした皮をゆでる。お湯を替えながら、これを 3 回ほど繰り返し、アクと苦みを抜く

5 ゆでた皮をザルにあげ、鍋に戻し、砂糖と実を加え軽く混ぜ、1 時間ほど置く

6 鍋を中火にかけ、沸騰寸前で弱火にしてアクを取りながら好みの固さになるまで煮詰める。強火で煮ると苦みがでてしまうので、かならず弱火で！

自分好みの固さに調節して

グミ

難易度 ★☆☆☆☆

材料

お好みのジャム　70g
粉ゼラチン　10g
水　大さじ3
レモン汁　小さじ1/2

準備する器具

耐熱容器，バット

作り方

1 耐熱容器に粉ゼラチンと水を入れ10分ほどふやかす

2 1にジャムとレモン汁を加え、レンジで30～40秒(500W)加熱する。沸騰させると固まりにくくなってしまうので注意。温度の目安は40～50℃

3 よくかき混ぜて、ラップを敷いたバットなどに流し入れる

クッキー型で抜いたり、卵パックに流しても!

4 あら熱が取れたら冷蔵庫に入れて1時間ほど冷やし固め、切り分ける

使うジャムの粘度によって、固さが変わります。ゼラチンの量はお好みで。ゼラチンの量を増やすと臭いがでてくるので、ハチミツを少量加えます

ゼラチンと寒天の違い

ゼラチン

- 牛や豚などの皮から抽出
- コラーゲンが豊富
- 10℃以下でないと固まらない
- 沸騰させると固まりにくくなる
- ゼリーにすると口当たりなめらか

寒天

- 天草などの海藻が原料
- 食物繊維豊富
- 常温でも固まる
- 90℃以上に加熱しないと溶けない
- ゼリーにするとコリコリした口当たり

バター作りでチヨピの心をつかめなかった私…
おしぇんべのほうがいいい♡
姪っ子チヨピ
今回はチヨピが大好きなジャムを作ってなんとかふり向かせたいと思います
ぬふ♡
手作りジャムは簡単でおいしいうえに、季節感も感じられるのでぜひ作ってほしい一品
チヨピ～作るよぉ！
…あら？
姉
コミと児童館へ行きました
一緒に♡
お料理教室
またもやブロークンハート…
今日は何を作んの？
あふ
チヨピの好きなジャムだよ！
まずイチゴの
お！起きてきたね

なぁ～にぃ～
…ジャム？
ちょ～っと待ったぁ!!
キラーーン
えっ どうしたの？
そのお鍋アルミ製でしょ？
ビシッ
う、うん それが何か…？
スイッチON!!
たわけッ!
ジャムを作るときは鍋の素材に注意しよう！
向いている素材
ホーロー製
耐熱ガラス製
ステンレス製
厚手で口の大きな鍋が向いている
鉄分の含まれている鍋で煮ると果汁に含まれる酸と反応して味や色が悪くなってしまいます
お鍋も傷んじゃうしね！
へぇー！
よく知ってるね！
あとレモン汁を加えるのは適度な酸味と色味を鮮やかにするためね！
より赤く!!
イチゴに含まれる"アントシアニン"という色素と柑橘類に含まれる"クエン酸"が反応して赤が鮮やかになるのです！
ほうほう！
ブルーベリーに多く含まれている目に良いやつです。

火を止めるタイミングもジャム作りの重要なポイント!
冷えると固くなるから"ちょいゆる"くらいで止める!
ハイッ!
保存瓶に移すときにモタモタしてると、鍋の余熱で固まってくることもあるので素早く!
テキパキ
ハイッ!
ひぃ〜〜…
できあがりッ
ビュティホッ
さっ!見とれてないで…!次は何を作んの!?
キュッ
マーマレード…です
マーマレードは柑橘類を加工して作ったジャムの総称
柚子
グレープフルーツ
レモン
でこぽん
夏みかん
ザボン
だから夏みかんでもレモンでも柚子でもマーマレードと呼ばれます
マーマレード

皮も食べるので無農薬のものがベスト！
それ無農薬でしょうねッ！
キッ
千ヨピも食べるんだから!!
ハイイッ!!
もちろん!!
程良い苦味のある、おいしいマーマレードを作るコツは白いわたにアリ!!
ココ
わたに!?
…わた？私いっつも全部取ってたよ
こうやって根こそぎ
ゴリゴリ
白いわたには、苦味成分の「ナリンジン」が含まれていますがとろみをつける成分「ペクチン」も含まれています
同居しています♡
ペ
ナ
ふむふむ…
白いわた
少
多
ナリンジン（苦味）
苦くない
苦い
ペクチン（とろみ）
とろみがつきにくい
とろみがつく
[報告例]
苦味をさけてわたをとりすぎる
←とろみがつかない
←煮つめすぎる
←おいしくなくなる
…なんてこともあるのでうまくバランスをとって作って下さいね！

ちなみにペクチンには
整腸効果もあります
万年便秘症のあなたは
食べたほうが良いでしょう
ハイッ
食べます!!
ビシッ
だからみかんの
わたも食べた方
が良いって
言われてるのか
はあああ～
うっとり
おいしそう
だねぇ～
早く食べて
みようよ！
←帰ってきた
ね～！
食べよ食べ…
ガバッ
ガサッ
バッ
ではまた
こちら講義代として
いただいて帰ります
チヨピもまなびますので
♪ジャ・ム♪
♫ジャ・ム～
そんな
ごむたいなあああ…
私のジャム～～ッ
またね～
バタン

和菓子やパン作りで大活躍

粒あん

難易度 ★★★☆☆

tsubuan

材料　約400g分

小豆　100g
砂糖　80～120g
塩　小さじ1/4程度

※砂糖の量は、小豆に対して80～120%が一般的。また使う砂糖は、白砂糖、三温糖、黒砂糖などお好みのものを使ってOK
※塩を少量入れることで甘さが引き立つ

準備する器具

ザル，木べら

保存期間

冷蔵で1週間，冷凍で3週間

作り方

1 小豆は水洗いして、たっぷりの水にひと晩ひたしておく

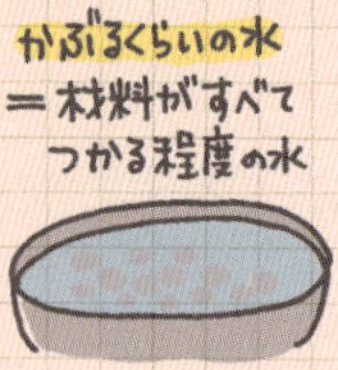
かぶるくらいの水
＝材料がすべて
つかる程度の水

2 小豆をいったんザルにあげてから鍋に入れ、かぶるくらいの水を入れる

3 強火にかけ、沸騰したらザルに小豆をあげ、煮汁を捨てる。このアク抜きの工程を、あと2回繰り返す

4 3の小豆を再び鍋に戻し、たっぷりの水を加えて1時間以上弱火でゆでる。途中、ゆで汁が少なくなったら、かぶるくらいまで水を足す

5 小豆がやわらかくなったら、ゆで汁をおたま2杯分くらい残して捨てる

6 砂糖を加え、木べらで混ぜながら汁気がほとんどなくなるまで弱火で煮る

7 小豆にツヤがでたら塩を加えて混ぜ合わせ、好みの固さになるまで煮詰める。冷めると固くなるので、ちょっとやわらかいと感じるくらいで火を止めて

アレンジメニュー

こしあん

1 粒あんのレシピと 5 の工程まで同じ

2 柔らかくなった小豆をすり鉢やミキサーなどでつぶす

3 2をこし器(目の細かいザル)にあげ、たっぷりの水を入れたボウルの中で裏ごしする

4 3のボウルは水を入れたまま 30～40 分おき、あんが底に沈むのを待つ

5 上澄みの水をそっと捨て、あんをさらしの布に包んで水気をしぼり切る

6 鍋にあんを移し、砂糖と水大さじ 3 を入れ、弱火にかける

7 木べらでなぞったときに、筋がかけるくらいの固さになったら塩を加えてよく混ぜ、火を止める

ちょっと手のかかるこしあん。もっと手軽に作りたいという人は、やわらかく煮た小豆をおたま 1 杯くらいの煮汁とミキサーにかけ、なめらかになったら鍋に戻して煮詰めます。最後に塩を加えれば完成。皮が残っているぶん、なめらかさは劣りますが、食物繊維は豊富！

上白糖(白砂糖)…しっとりとしていて、適度なコクがある。どんな料理・お菓子にも合う
グラニュー糖…サラサラしていてクセのない甘さが特徴。香りを楽しむ飲料・お菓子作りに
三温糖…強い甘さとコクを持つ。煮物や佃煮など、濃いめの味つけをする料理との相性が良い
黒砂糖…サトウキビのしぼり汁を煮詰めたもので、独特の風味がある。カリウムやカルシウムが豊富

zenzai

ホッと落ち着く伝統の味

ぜんざい

難易度 ★☆☆☆☆

材 料　約1人前

粒あん　50g
餅　1個
水　100cc

水の代わりに牛乳や豆乳でもおいしい!

作り方

1 粒あんと水を鍋に入れて中火にかけ、煮立ったら焼いた餅を入れるだけ

つるんとおいしい和菓子

水ようかん

難易度 ★★☆☆☆

材 料　プリンカップ4、5個分

こしあん　200g
粉寒天　3g
砂糖　50g
水　400cc

準備する器具

プリンカップ，木べら

mizuyoukan

作り方

1 鍋に粉寒天、砂糖、水を入れ弱火にかける

2 粉寒天が完全に溶けたらこしあんを加え、木べらでなめらかになるまでよく混ぜ合わせる

熱いまま型に入れると、あんが沈んで分離してしまうので、必ず冷めてから!

3 ひと煮たちしたら火を止め、人肌程度になるまで自然に冷ます

4 3を軽く混ぜてから、プリンカップなどに入れて冷やし固める

ohagi

こしあんで作ってもおいしい

おはぎ

難易度 ★★☆☆☆

材 料　約 10 個分

もち米　2 合
白米　0.5 合
粒あん　200g

準備する器具

ボウル , すりこぎ

作り方

1 もち米と白米を合わせ、普通に炊く（水加減も同じ）

2 1 は熱いうちにボウルに移してすりこぎなどで粗くつぶす。10 等分し、俵型に成形する

3 粒あんを 10 等分し、2 を包む。逆に粒あんをもち米で包み、きな粉やすった黒ごまをまぶしても

kinako

香ばしさは手作りならでは

きな粉

難易度 ★☆☆☆☆

材 料

大豆　適量

準備する器具

ミルサー

作り方

1 フライパンに大豆を入れ、弱火でいる

2 皮がはじけ、香ばしい香りがしてきたら火を止める

3 ミルサーにかけてパウダー状にする。すり鉢の場合は、いった大豆を布巾に包み、上からすりこぎなどで叩いて粗く割ったあと、すり鉢でひたすらする

このままでは甘みがないので、
きな粉と砂糖を半々で
混ぜ合わせて使う

私がいろいろなものを手作りしはじめたときのことー
♪〜〜〜
ボソッ
あんこ…か
ほう…
あんこって おいしい よねぇ…
母の小さなアピールを目にする…
……作りましょうか？
アラ
キャハ
え〜ホント？ なんか おねだりした みたいで悪いナ
…というわけで粒あんとこしあんを作ったのですが…
これが意外と奥深い！
材料も作り方もシンプルなだけにできるだけ良い材料を使うのがおいしいあんこを作る第一の条件!!
高級小豆
大納言
和三盆
高級砂糖
そしてひとつひとつの作業を面倒臭がらずやることも大事！
これで何度惜敗したことか…！
料理って性格でるもんねぇ…
ヨッB型！
自分もB型

まずはちゃんとひと晩
水に小豆をつけておくこと
いきなりゆではじめると小豆がシワシワになって破けやすくなるよ！
レシピには「ひと晩置く」みたいなことが、さらっと書いてあるので、事前の準備はしっかりと！
スルーしないように!!
次はアクをしっかりと抜くこと
3回ほどゆでこぼすことで渋みが抜けます
「ゆでこぼす」＝材料をゆでたあとゆで汁を捨てること
あっ
最後に案外大事なのが、お砂糖を加えるタイミングと火加減
水が多いままお砂糖を入れてしまった私は水気を早く飛ばしたいために弱火のところを中火で煮て…
は・や・く！
は・や・く！
中火ッ
できあがり
もっちょり
※火が強いと皮がやぶれやすくなる。
My あんこ〜〜
一見するとムダに見える工程にもちゃーんと理由があるってことです

お次はこしあん
こしあんって粒あんをこすだけだよね
ちょうどもっちょりしてるからこれを…
――と思ったら大間違い!!
ガシッ
たしかに裏ごしするだけでもできるんだけど…
ゆでてこした小豆
砂糖・水おたま一杯くらい
弱火で煮詰めて最後に塩を混ぜる
なめらかさや上品さを追求するなら水を張ったボウルでこすのが一番!!
ザルに残った方がカスであんが溶けた水の方があんになります。間違っても水を捨てないように!!
カス
あん!!
一度水にさらすことで雑味が抜けとてもなめらかになります
なめらかッ
そして、こしあんでも大事になってくるのがやっぱり水気!!
水気に関しては粒あんの失敗で学んだからね☆
あんを布に包んで水気をしぼる際は乾いた感じになるまでしっかりと水を切ろう!
ギュウウ…
※レシピ工程5
最後にお鍋で煮詰めるときあんがハネるので注意して!!
熱ッ!!
ビシッ
ビシッ
ちょっと放っとくとマグマのようにはじけて危険!油断せず混ぜつづけよう!

もっと簡単なのはフードプロセッサーでガーーッとやっちゃう。

できあがり!!
今度はうまくできました☆
なんて上品な味わいオイシー
はらら…
でしょ？感謝して召し上がれ
オホホホ
で、このあんこを使った和菓子はいつ作ってくれるの？
おかわりッと
じゃあもうつまみ食いはやめなさい…
一度あんこを作ってしまえば冷凍しておけて便利
小分けにして密封袋で冷凍3週間もつ
おだんご
ぜんざい
おはぎ
あんぱん
水ようかん
ぜひ色んなものにチャレンジしてみて下さい！
確実に太りますけど…ねっ！
ん?!

bread

トーストしてたっぷりのバターで

食パン

難易度 ★★★★☆

材料　約1斤分

強力粉　250g
ドライイースト　4g
砂糖　30g
バター　20g
塩　4g
牛乳　160cc

準備する器具

粉ふるい，ボウル，ヘラ，布巾，食パン型

作り方

1 バターは室温に戻し、牛乳は40℃に温める。強力粉はふるってボウルに入れ、中央を少しくぼませる

2 くぼみにドライイースト、砂糖、バター、牛乳を入れ、ボウルの端に塩を入れる

塩はイースト菌の働きを弱めるので、最初は直接触れないようにね
塩
イ

3 ヘラなどで切るようにして混ぜ合わせ、バターがなじんだら手でこねる

4 生地がまとまってきたらめん台に移し、粉っぽさがなくってなめらかになるまでひたすらこねる（約15分）

5 バター（分量外）を薄くぬったボウルに丸くまとめた生地を入れ、濡れ布巾をかぶせる（ラップでもよい）。2～3倍の大きさにふくらむまで1時間ほど室温に置く（1次発酵）

6 生地を2等分してそれぞれ丸め、バター（分量外）を薄く塗った型に並べ入れる

食パン型やパウンド型がない場合は、牛乳パックにオーブンシートを敷いたもので代用しても

7 濡れ布巾をかぶせ、2～3倍の大きさにふくらむまで1時間ほど室温に置く（2次発酵）

8 200℃に予熱したオーブンで15～20分焼く。途中、焦げてくるようならアルミホイルをかぶせる

あんこをたっぷり詰めて

あんパン

難易度 ★★★★☆

材料　約12個分

粒あん(こしあん)　300g
強力粉　300g
ドライイースト　4g
砂糖　30g
バター　40g
塩　5g
卵　小1個(約50g)
牛乳　卵と合わせて160g
照りだし用卵　1/2個
ごま(ケシの実)　適量

準備する器具

粉ふるい，ボウル，ヘラ，布巾，刷毛，オーブンシート

作り方

1 食パンのレシピと4の工程まで同じ。卵はドライイーストなどと一緒のタイミングで加える

あんこの代わりにカスタードクリームやプロセスチーズなどを入れても!

2 生地を12等分してそれぞれ丸め、濡れ布巾をかぶせる。2〜3倍の大きさにふくらむまで、1時間ほど室温に置き1次発酵させる

3 粒あんは12等分しておく

4 生地を手のひらでつぶして直径6〜7cmにし、あんをのせて成形する

5 あんが飛びださないように、押し込むようにして生地をつまんで閉じる

6 天板にオーブンシートを敷き、閉じ目を下にして5を並べ、濡れ布巾をかぶせる。40〜50分室温に置き2次発酵させる

7 照りだし用の卵を溶き、刷毛などで上面にぬってごまを散らす

8 上面にぬった卵液が乾いたら、180℃に予熱したオーブンで12〜15分焼く

もちもちとした食感で大人気

ベーグル

難易度 ★★★★☆

材料　約4個分

強力粉　200g
全粒粉（薄力粉）　50g
ドライイースト　4g
砂糖（ハチミツ）　10g
塩　3g
ぬるま湯　150cc
A［水　1ℓ程度
　 砂糖（ハチミツ）　大さじ1

準備する器具

粉ふるい，ボウル，布巾，めん棒，
オーブンシート

作り方

1 ふるった強力粉、全粒粉をボウルに入れ中央を少しくぼませる

2 くぼみに砂糖とドライイーストを入れ、ボウルの端に塩を入れる

3 ぬるま湯をくぼみにそそぎ、最初はドライイーストと砂糖を溶かすようにして指先で混ぜ、徐々に粉類と混ぜ合わせてこねる

4 粉っぽさがなくなって、生地がなめらかになるまでひたすらこねる（約15分）

チョコチップやドライフルーツなどを混ぜ合わせるときは，こねあがる直前で入れてね！

5 生地を4等分して丸め、濡れ布巾をかぶせる。2～3倍の大きさにふくらむまで1時間ほど室温に置き、1次発酵させる

6 上からめん棒で押さえてガス抜きをしながら、楕円形に伸ばす（長辺が20cmになるくらい）

7 手前からクルクルと巻いて棒状にし、輪っかを作る

上手な輪っかの作り方

①長辺を下にして手前から巻き、コロコロ転がして棒状にする

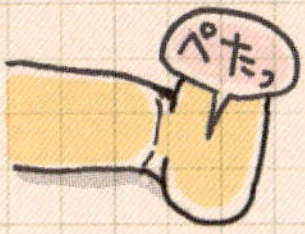

②片方を手でつぶし、広げる

③輪を作り、つぶした部分で逆の端を包み、閉じ合わせる

8 濡れ布巾をかぶせて、20 分ほど室温に置き 2 次発酵させる

ゆですぎたり、ゆでてから焼くまでに時間が空いちゃうとシワができるので注意!

9 鍋に A を入れて中火にかけ、沸騰したら生地を片面 30 秒ずつゆでて、水気を拭き取る

10 天板にオーブンシートを敷き、間隔をあけて並べ、200℃に予熱したオーブンで 12〜15 分焼く

ドライイーストと生イースト

ドライイーストは、保存性を高めるために、生イーストを乾燥させたもののこと。生イーストを使用する場合は、ドライイーストの 2 倍量を目安にする

小麦粉の種類

薄力粉…グルテンの力が弱い。天ぷらの衣や、ケーキ、クッキーなどの菓子類などに使われる
中力粉…グルテンの力は薄力粉と強力粉の中間くらい。うどんやそうめんなどに使われる
強力粉…グルテンの力が強い。パン類や中華麺などに使われる

イーストの予備発酵

1、水 50cc を 35〜40℃まで温め、砂糖小さじ 1 を入れ溶かす
2、1 にドライイーストをふり入れ、軽くかき混ぜて 10〜15 分室温に置く。泡がでたら完了

こんなふうにプクプクと泡が出るよ!

※使用する水 50cc と砂糖小さじ 1 を、レシピの分量から差し引くのを忘れないように！ 牛乳しか使わないレシピの場合でも予備発酵用に水 50cc を使い、そのぶん牛乳を減らす
例）牛乳 160cc 使用の場合は、予備発酵用の水 50cc、牛乳 110cc にする

そのままでも、いろいろはさんでも

コッペパン

難易度 ★★★★☆

材料　約4個分

- 強力粉　150g
- 薄力粉　50g
- ドライイースト　4g
- 砂糖　20g
- バター　20g
- 塩　3g
- 卵　小1個(約50g)
- ぬるま湯　卵と合わせて120g

準備する器具

粉ふるい，ボウル，ヘラ，布巾，めん棒，オーブンシート

作り方

1 食パンのレシピと5の工程まで同じ。牛乳の代わりにぬるま湯を入れる。卵はドライイーストなどと一緒のタイミングで加える

生地を休ませることをベンチタイムと言います。粉類がなじんで扱いやすくなります!

2 生地を5等分にして丸め、濡れ布巾をかぶせる。15分ほど室温に置き生地を休ませる

3 めん棒で楕円形に伸ばした生地の長辺を、中心に向かって折りたたみ、端を指でつまんでしっかり閉じる

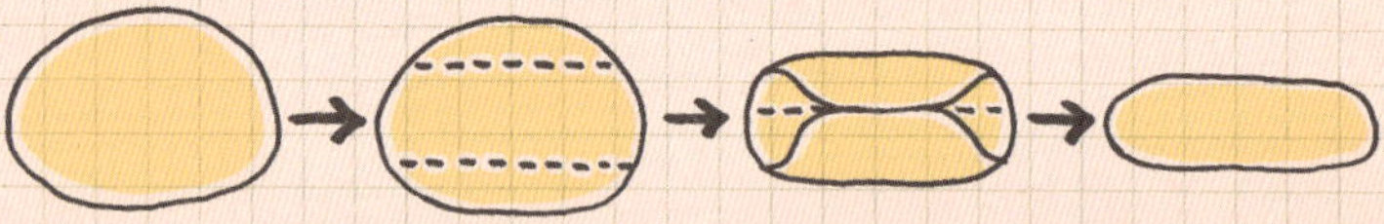

4 3をめん台に押しつけながら両手でコロコロ転がし、棒状に成形する

5 天板にオーブンシートを敷き、閉じ目を下にして4を並べる

こんなに膨らむので、並べるときは間隔をあけてね

6 濡れ布巾をかぶせ、2〜3倍の大きさにふくらむまで、1時間ほど発酵させる

7 180℃に予熱したオーブンで12〜15分焼く

ある日家に帰ると—
ドライ イースト
ん? 何コレ?
何ってー ドライ イースト だヨ☆
いや それは わかるけど…
あのね、これでね、パンとか! パンとか! 作れちゃうんだヨ!
ステキだよね! 魔法の粉?
パン大好き
わかったよ… パン作ってほしいのね
—そんなわけでパン作りをすることになったのですが…
パン作りって ハードル高そ〜
パン作りにおいて すべてのカギをにぎるのが
ドライ イースト
ドライ イースト
イースト菌は生きた酵母。扱いには気を遣わなければなりません
ギャアアア
お〜 よしよし
ドライイースト。名付けてイーちゃん
イーちゃんって ホント気難しい子なんですよー

①まずは分量を守る！
ちょっと多めだけどいーよねー！
バター
材料はひとつひとつきっちり量ろう！
イ
予定と違うみたいだからやる気なくした…
②室温が低い時は予備発酵！
いつまでたってもふくらまない…
私はこれを知らず何度も失敗しました
しーん…
ぐぅ
↑目が覚めない
③塩を直接ふれさせない！
ドライイーストが塩にふれるとふくらみが悪くなるよ！
キャ
キャ
キャ
塩
塩
塩
塩キライ…
ト
やる気なくした…
④発酵時は室温に注意！
気を遣ってせっかくやる気にさせても室温が低くければ…
スタート
計量
予備発酵
塩地獄
イ
ヒューッ
せっせ
せっせ
ぐぅ。
やる気になってくれません
発酵中は25〜35℃に保ってあげましょう
やる気！
50℃以上
30℃
10℃以下
冬場など室温が低い場合は暖房の近くに置くなどして調整してね！

※予備発酵の要らないタイプのドライイーストもあります。

ちなみに発酵させすぎてもできあがりがすっぱくなってしまいます…
やる気を出してくれたのはいいが…
温度が高すぎたり発酵時間が長すぎると…
こんなふうになります。
なんじゃコリャ!
発酵具合は〝指差し確認（フィンガーテスト）〟で見ます
穴が元に戻る。
発酵不足
穴が元に戻らない。
成功!!
プシュ〜〜〜と、しぼむ。
過発酵
発酵不足ならもう少し発酵させます。発酵しすぎた場合はどうしようもないので次の工程にいく…
残念ながらスッぱいパンになる…
できあがり
パクッ
……
おいしいっ!!
できたてのパンってなんておいしいの?
気難しいぶんうまく発酵できたときの喜びはひとしお!! ハードルは高いけど達成感があるよ!
ぼくやったよ!!
よくがんばったねぇ エラかったねぇ…

パリパリ何枚でもいけちゃう

韓国のり

難易度 ★☆☆☆☆

材料

のり　適量
ごま油　適量
塩　適量

準備する器具

刷毛

作り方

1 のりの両面にごま油をまんべんなくぬり、塩を全体にふる

2 レンジで 20〜30 秒(500W)加熱する

湿気ったのりでもおいしくできる

のりの佃煮

難易度 ★☆☆☆☆

材料

のり　10 枚
鰹節　10g
水　300cc
しょうゆ　大さじ 2
酒　大さじ 1
砂糖　大さじ 2

保存期間

常温で 10 日

※途中で火を通せば、保存期間を延ばすことができる

作り方

1 鍋に水を入れ沸いたら、適当にちぎったのりと鰹節を入れ、中火で煮る

2 汁気が半分くらいになったら、しょうゆ、酒、砂糖を加え、かき混ぜながら汁気がなくなるまで中火で煮詰める

ふりかけといったらやっぱりコレ！

おかか

難易度 ★☆☆☆☆

材 料

鰹節　25g
しょうゆ　大さじ2
みりん　大さじ1
酒　大さじ1
砂糖　大さじ1
白ごま　大さじ1

だしを取ったあとの鰹節でもOK！

okaka

作り方

1 フライパンにしょうゆ、みりん、酒、砂糖を入れ、煮立ったら鰹節を加える

2 汁気がなくなるまで弱火で煮詰め、最後に白ごまを混ぜる

gomashio hurikake

お赤飯にもぴったり

ごま塩ふりかけ

難易度 ★☆☆☆☆

材 料

黒ごま　50g
塩　小さじ2

保存期間

冷暗所で1ヵ月

すりごまや白ごまでもおいしい！

作り方

1 フライパンに黒ごまを入れ弱火でいる

2 黒ごまがはぜたら火を止め、塩を加えてかき混ぜる

簡単なのに本格派

なめたけ

難易度 ★☆☆☆☆

材料

エノキタケ　1袋(約200g)
しょうゆ　大さじ3
みりん　大さじ2
砂糖　大さじ1

保存期間

冷蔵で1週間

Nametake

作り方

1 エノキタケの根元を切り落として3等分に切り、よくほぐす

2 鍋に1を入れ、かぶるくらいの水を加えて中火にかける

3 アクをこまめに取りながら、ぬめりけがでるまで15分ほど煮詰める

4 しょうゆ、みりん、砂糖を加え、トロッとするまで煮詰める

なめたけのおいしい食べ方

なめたけに合うのはごはんだけじゃない！ここでは、意外に何にでも合うなめたけの食べ方を紹介します

クラッカーに✧

とんぶり
(キャビア代わり)
なめたけ
モッツァレラチーズ
クラッカー

おソーメンのトッピングに✧

おモチに✧

スライスチーズ
なめたけ

いそべ焼にプラスチーズ&なめたけ!

それはコミが旅行へ出かけたときのこと——
行ってきま〜す
いってらっしゃ〜い 生キャラメル買ってきてね〜♥
2泊3日北海道食の旅
はぁ…
同居しているおばあちゃん
どうしたの? もしやさみしい?
はぁぁ
ば
どんより…
お母さんいない間まともなごはんが食べられるか心配だわぁ…
—過去に食べさせられた物—
タイ風パパイヤサラダ
インドネシアのサラダガドガド
ベトナム風生春まき
インパクトの強いものばっかり
すみませんん
大丈夫 安心して!! 白いごはんに合うおいしいものを作るから!!
どーんと
おまかせ!
白いごはんには少し濃いめの味つけのものが合いますよね。まずは…
のりの佃煮ッ!!
鰹節の食感が気になる人はすり鉢ですってから入れると舌触りがなめらかになります
カツオ武士ッ!!
辛いのがスキな人は、一味を加えても♡

オヤツとしてもおいしい
韓国のりッ
ポイントは塩を均等にふること。30㎝くらい上からふるとまんべんなくいき渡ります
30cm
これを尺塩と言います（一尺=約30㎝）
お次はひびきのカワイイ
おかか！
だしを取った後の鰹節はできるだけ水気を切るのがポイント！
水気が残ってると味が薄くなり時間もかかります
ぎゅううう
だしを取ったあとのコンブを刻んで入れてもオイシイ！
そして意外と奥深い！
ゴマ
塩
ゴマ塩!!
混ぜるだけでもできちゃいますがもっと味を追求したい方はもうひと手間！
ほんのり色がつくまで
あっためたフライパンで塩を炒る
すり鉢でサラサラになるまでする！

ごまは指でつぶせるようになるくらいプックリするまでいって
いい香りがしてきます♥
油断するとコゲるので注意！
ビシッ
はじけてきたら軽くフタ
ごまのあら熱が取れたらすっておいた塩と混ぜて完成！
シンプルだけど止まらないオイシサ!!
保存するときは市販の乾燥剤を入れると○！
そして最後は
なめたけッ
言うポイントがないくらい簡単なのでなめたけを使ったレシピを紹介！
まめこ作
おろしなめたけお茶パスタ
お酢
タバスコ
お茶漬けの素
ゴマ油
パスタ
なめたけ
大根おろし
全て適量
夕食
…おいしい!!
ごはんによく合うわ!!
でも、おかずがこれだけなんて…
早く帰ってきて…
しくしくしく…
のり
フリカケ
ナメタケ
ごめん…ご飯に合うってことしか頭になかった…
ちなみにおばーちゃんには不評でした…
でもオイシイんだよ!!

condensed milk

買うよりずっとお買い得

練乳

難易度 ★☆☆☆☆

材料 約100cc分

牛乳　200cc
砂糖　40g

準備する器具

木べら，ボウル

作り方

1 鍋に牛乳と砂糖を入れ、焦げないように弱火で20〜30分煮詰める

2 木べらでなぞって鍋底が見えたら火を止める

3 氷水を張ったボウルに鍋ごとつけて急冷する。こうすることで、砂糖が再結晶化するのを防ぐ。固まってしまった場合はレンジで再加熱するか、お湯を少量入れてかき混ぜて

ミルクがふんわり香る

ミルクキャンディ

難易度 ★★★☆☆

材料

牛乳　100cc
砂糖　70g
バター　5g

準備する器具

木べら，バット，オーブンシート

milk candy

作り方

1 鍋に牛乳と砂糖を入れ、中火にかける

2 木べらでかき混ぜながら、120〜130℃まで加熱し、火を止める直前にバターを入れる。泡の大きさが温度の目安となる。プクプクと小さい泡だったのが、温度が高くなるにつれブクブクと大きくなる

3 バットなどにオーブンシートを敷き、2を手早く流し入れる。包丁で切れるくらいの固さになったら、食べやすい大きさに切る

口の中で溶けていく

キャラメル

難易度 ★★★☆☆

材料　約20個分

生クリーム　60cc
練乳　70g
砂糖　50g
ハチミツ　10g
無塩バター　30g
水あめ　30g

準備する器具

泡立て器，バット，
オーブンシート

caramel

creamy caramel

左：キャラメル
右：生キャラメル
（53ページ参照）

作り方

1 バターは室温に戻しておく

2 鍋にバター以外の材料を入れ、中火にかける

3 砂糖が溶けたらバターを加えて弱火にし、キャラメル色になるまで泡立て器で混ぜながら煮詰める

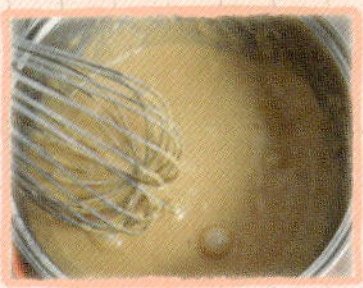

4 バットなどにオーブンシートを敷き、3を手早く流し入れる

5 包丁で切れるくらいの固さになったら、食べやすい大きさに切る

ミルクキャンディやキャラメルがなかなか固まらない場合は，冷凍庫に入れて冷やします。
逆に固まりすぎて切りにくい場合は，包丁を温めると切りやすくなります。
また切ったあとは，くっつかないように1個1個オーブンシートにくるんでね。

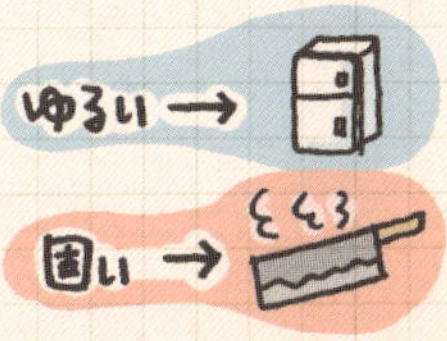
ゆるい →
固い →

コミが旅行から帰ってきた
カニ食べてー
ウニイクラ丼食べてー
ジンギスカンにチョコレートにソフトクリーム…
はあぁ…おいしかった!
サイコーホッカイドー!
←北海道に行ってきた。
ゴソゴソ
ぺたっ
今日はまともなごはん…♡
あ! そうだお土産!
わあい♡
ハイ
まり○っこり!
……ありがとう
そしてつ?
「そして」って何が?
頼んでたでしょ! ウ・ワ・サ・の生キャラメル~~!
あぁ
買ってこなかった
キッパリ
太るし!
なんですと?
家にキャラメルなんかあったら食べちゃうもん
パンッ
パン
ホラ、食べすぎて太っちゃったからダイエットしなきゃと思ってね
……

何それ！
もう
いいよ!!
自分で
作るから!!
あんなに楽しみにしてたのに!!
コ
えっ!!
作れるの!?
フフン
コミにはひと口たりともあげないけどね！
チーーーン…
!!
生キャラメルは生クリームの比率が高くて、少しゆるめなのが特徴
カンタン生キャラメルレシピ
牛乳　150cc
生クリーム　100cc
砂糖　50g
バター　10g
ハチミツ　大さじ１
しくしく…
仕方なくダイエット→
①バター以外の材料を鍋に入れ砂糖が溶けたら、室温に戻しておいたバターを加えて煮詰める
い〜においが♥
中火
②木べらですくってみて落ちるか落ちないかの固さになったら火を止める
このくらいまで20〜30分位かかる
③オーブンシートを敷いたバットに流し…
IN!
④冷凍庫で冷やし固め適当な大きさに切る
保存は冷凍庫か冷蔵庫で！

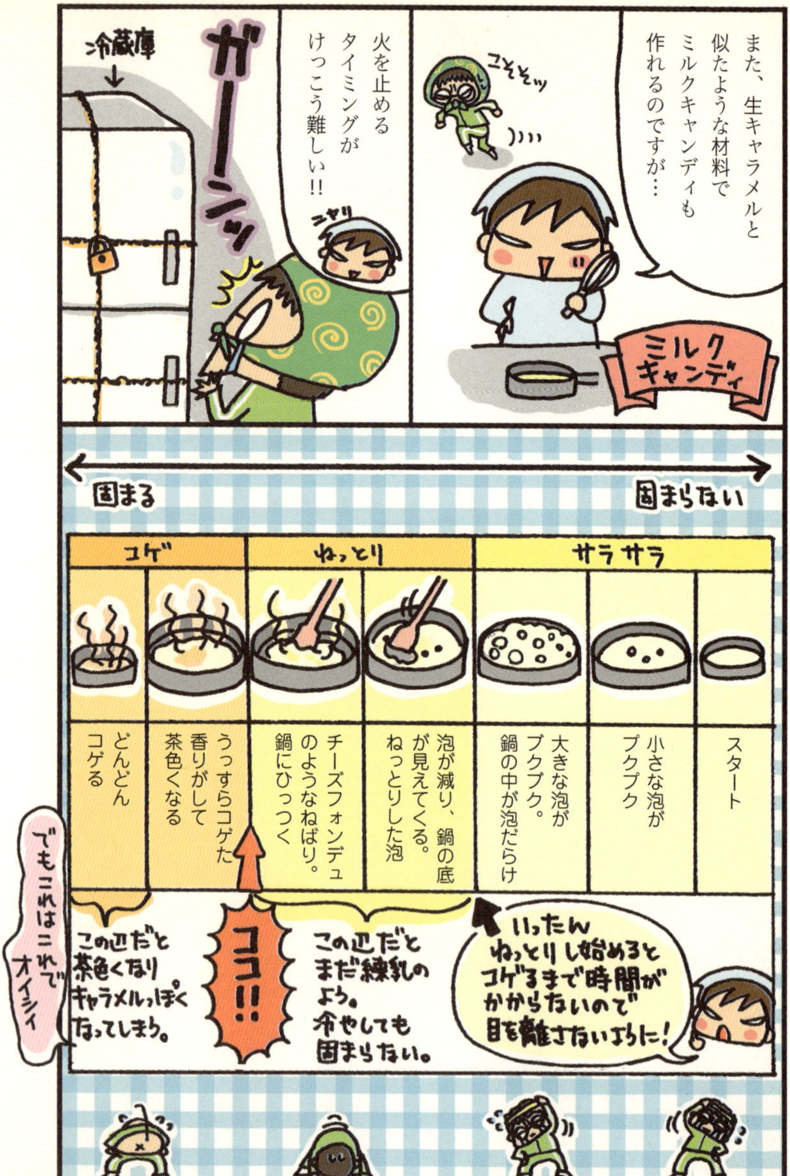

また、生キャラメルと似たような材料でミルクキャンディも作れるのですが…
こそそッ
ミルクキャンディ
火を止めるタイミングがけっこう難しい!!
ニヤリ
冷蔵庫
ガーンッ
固まる
固まらない
コゲ
ねっとり
サラサラ
どんどんコゲる
うっすらコゲた香りがして茶色くなる
チーズフォンデュのようなねばり。鍋にひっつく
泡が減り、鍋の底が見えてくる。ねっとりした泡
大きな泡がプクプク。鍋の中が泡だらけ
小さな泡がプクプク
スタート
この辺だと茶色くなりキャラメルっぽくなってしまう。
ココ!!
この辺だとまだ練乳のよう。冷やしても固まらない。
いったんねっとりし始めるとコゲるまで時間がかからないので目を離さないように!
でもこれはこれでオイシイ

火を止めるタイミングが早すぎると固まらず遅すぎるとコゲちゃいます
よく見ててね!
うっすらコゲた香りがして、チラッと茶色いものが見えた瞬間に火を止めて!!
しくしく…
できあがり
おいし〜
すすす…
ダイエットするんでしょ!!
ダメ!!
バシッ
えーん…
わかった、わかった。じゃあこれなら食べていいよ
どれ?!
こ・れ
キャラメル作りの残りカス
もいみいら…
(おいしい)
お鍋にくっついて固まっても、お湯につければ溶けるのでご心配なく!

サラダを食べるのが楽しみになる！

ドレッシング5種

難易度 ★☆☆☆☆

青じそドレッシング

aojiso
dressing

材料

青じそ　10枚
しょうゆ　60cc
酢　60cc
砂糖　大さじ3

お好みで和風だしや
ごま油を入れても

作り方

1 すべての材料をミキサーにかける

2 鍋に1を入れて火にかけ、ひと煮たちさせてから冷ます

ごまドレッシング

材料

白ごま　20g
玉ねぎ　1/2個
にんじん　1/4本
にんにく　1片
しょうが　1/2かけ
しょうゆ　60cc
酢　50cc
砂糖　大さじ3
サラダ油　180cc
ごま油　小さじ1

sesame
dressing

豚しゃぶの
タレとしても
おいしい
です！

作り方

1 玉ねぎ、にんじん、にんにく、しょうがをひと口大に切る

2 1と残りの材料をすべて入れミキサーにかける

サウザンドレッシング

thousand island
dressing

材料

マヨネーズ　大さじ４
ケチャップ　大さじ１
牛乳　大さじ１～２
ピクルス　30g
チリパウダー（一味唐辛子）　少々
レモン汁　少々
塩・こしょう　少々

ほかに、みじん切りにした、赤ピーマン、セロリ、ゆで卵、らっきょうを入れても美味！

作り方

1　ピクルスをみじん切りにし、残りの材料とよく混ぜ合わせる

フレンチドレッシング

french
dressing

材料

サラダ油　150cc
塩　小さじ１
酢　50cc
こしょう　少々

基本はこの４つでできますがそのほかに辛子や、すりおろした玉ねぎ、にんにくを加えても

作り方

1　塩と酢をボウルに入れ、よく混ぜ合わせる

2　サラダ油を少しずつ加え、クリーム状になるまでよく混ぜ合わせて、こしょうで味を調える

イタリアンドレッシング

材料

オリーブオイル　大さじ２
酢　大さじ１
砂糖　小さじ1/2
ポン酢　小さじ１
塩・こしょう　少々

すりおろした玉ねぎやにんにくを入れてもオイシイ！

作り方

1　すべての材料をよくかき混ぜる

italian
dressing

ドレッシングってたくさん種類があっていろんな名前がついているけど
ドレッシングに定義ない!
そもそも「これを入れないと○○ドレッシングと呼べない」というようなことはないそうです
だからイタリアンドレッシングもあくまでも「イタリア風」というニュアンスだとか
私的イタリア風イラスト
あくまでも「風」…
しかもイタリアンドレッシングとフレンチドレッシングって…
アメリカ生まれ!!
…らしい
それはちょっとショック
どちらも本国には存在しないそうな…
フレンチドレッシング
イタリアンドレッシング
…というわけで
私がよく作るドレッシングにも勝手に名前をつけてみました!名付けて…
勝手に○○風ドレッシング!!
コリアン風 サランヘヨ ドレッシング
材料
・きざんだキムチ
・醤油
・酢
・ゴマ油
塩でもんだキュウリ
サンチュ
白ゴマ
かいわれ大根
豚焼肉
ニンジン千切り

※ゴン↓おいしい　チャイヨー↓バンザーイ　バグース↓すばらしい
これ、生春巻のタレにもなります。
ベトナミーズ風 ゴン！ドレッシング
材料
・ニョクマム
・酢
・すりおろしニンニク
・レモン
・輪切り唐辛子
・ちょびっと砂糖
スライス豚の耳
サニーレタス
生ニラ
大根なます
ちょっとだけゆがいたモヤシ（青くさいくらい）
パクチー
タイ風 チャイヨー！ドレッシング
材料
・スイートチリ
・レモン
・お酢
春さめ
パクチー
サニーレタス
ゆでたエビ
くだいて炒ったピーナツ
キクラゲ
インドネシアン風 バグース！ドレッシング
材料
・ゴマしゃぶのタレ
・チリソース（サンバル）
ゆでたジャガイモ
厚あげ
ゆでたまご
ゆでキャベツ
ゆでインゲン
フライドオニオン
和風 さっぱりドレッシング
材料
・お茶漬けの素
・ゴマ油
・お酢
・ちょっと砂糖
大根の千切りのみ!!
※お茶漬けの素の海苔とおせんべは取り出して、食べる直前にかけるとオイシイ！
友人のおばあちゃんに教わりました
簡単だけどこれがけっこうおいしいんだよね〜！
次はオランダ風を作ってー!!
…風車とかさしといたらどうでしょう？
オランダのイメージが乏しい。
あなたもオリジナルの〝○○風〟ドレッシングを作ってみてくださいね

夏

この季節にしか入手できない食材で
暑さを吹き飛ばす

summer

使う品種で辛さが変わる

鷹の爪・一味唐辛子

難易度 ★☆☆☆☆

材 料

生唐辛子　適量

準備する器具

ザル , ミルサー ,(ゴム手袋 , マスク , ゴーグル)

作り方

1 ザルに唐辛子を広げ、2～3 週間陰干しする

2 唐辛子をふってみてカラカラと種の音がしたらできあがり。よく乾燥させないと、カビが生えるので注意！

一味唐辛子にする場合はヘタと種を取り除いてミルサーにかけるだけ(種も一緒にひくと辛みが増す)。唐辛子は、日本産より韓国産の方がマイルド

すりつぶして寝かせておくだけ！

タバスコ

難易度 ★☆☆☆☆

材 料

生唐辛子　100g
塩　小さじ 1
酢　50cc
にんにく　お好みで

準備する器具

ミキサー , 保存容器

作り方

1 唐辛子はヘタを切り、縦半分に切って種を取りだす。辛みをだしたい人は、種はそのままで OK ！

2 1 をミキサーにかけ、すりつぶす。にんにくを入れる場合は、ここで一緒にすりつぶす

3 消毒した保存容器に 2、塩、酢を入れて混ぜ、冷蔵庫に 2 週間以上置く

チョイ辛から激辛までお好みの辛さで

ラー油

難易度 ★☆☆☆☆

材料

ごま油　100cc
鷹の爪　2～6 本
一味唐辛子　20g
長ねぎ（白い部分）　10cm
にんにく　1 片

準備する器具

耐熱容器，こし器，保存容器

保存期間

冷蔵で 6 ヵ月

作り方

1 半分に折って種を取った鷹の爪、一味唐辛子を耐熱容器に入れる

2 長ねぎは斜め切り、にんにくは 1mm 程度にスライスする

3 鍋に 2 とごま油 90cc を入れ中火で炒める

4 長ねぎとにんにくがきつね色になったら取りだす

5 強火にして鍋から煙がでたところで、1 の耐熱容器にそそぐ

6 あら熱が取れたら油をこして保存容器に移す。鷹の爪や一味唐辛子を少量残しておくと辛みが増す

7 残りのごま油 10cc を加え、軽くかき混ぜる。ごま油は加熱すると香りが飛んでしまうので、最後に少量加えて風味をだす

ある日、コミは浮かれていた
やっほい
やっほい
楽しそうだねっ
どうしたの?
見て見て!
唐辛子!
今年は豊作だよ〜!
これでなんか作ってよ!
手伝うから
よ〜し!
じゃー今日は
トウガラシまつり!
作る前に唐辛子の取り扱いについて注意事項が…
私は唐辛子で痛い目にあったことが何度かあります
パッ
それはインドネシアに留学してたときのこと—
友人達とサンバル(チリソース)作りをしていた。
素手で触ると痛くなるよ!!
と言われたのですが…
トウガラシの種取り作業

※青唐辛子が熟すと赤唐辛子となります。

大丈夫！
大丈夫！
私、肌強いから！
↑敏感肌
へのカッパ〜♪
なぜか根拠のない自信でやりつづけていたら…
役に立たないな〜
いたいッいたいよおお〜
だから言ったのに…
燃え上がるような痛みに襲われました…
こんなこともありました
それは私がまだ幼かった頃ー
本当に痛かった……
マーくんマーくん
(→私のこと)
これすっごいおいしいから食べてみな？
ま
姉
旅行中のバイキング
パクッ
ニヤリ
赤トウガラシ
ぎゃひ〜〜〜ッ
どうしたの?!!
ギャ〜ハハハハ!!
このようなイタズラを何度となく私にした…
このときの痛みと恨みは忘れません
「気をつけよう素手トウガラシと
悪い姉」
とにかくこのくらい唐辛子は危ないということです

インドネシア人に、日本人は無知だという印象を植えつけてきました。

こんな目にあわないためにも
唐辛子を扱うときには
手袋!!
マスク!!
できれば
ゴーグル!!
作業の途中で目をこするようなことは絶対しないように!
そして換気も忘れずにしましょう
あやしい2人だね…
ご近所は何かと思うだろうね…
フードプロセッサー
※私達はベランダでやった
ラー油を作る際は煙に十分注意してください
ゲホ
ゲホ
吸い込みすぎるとノドをやられます
やはりゴーグルとマスクをした方が安全
ここで、2分でできるラー油レシピをご紹介
材料
ゴマ油 50cc
鷹の爪 1〜3本
ごま油と小口切りにした唐辛子を耐熱容器に入れ…
ゴマ油
レンジで1分(500W)加熱するだけ!
ウィ〜〜ン
このレシピだと赤く色づかないので、色をつけたい人はパプリカを適量入れてね!

次はタバスコ（チリペッパーソース）
材料はシンプル
酢
塩
タバスコって何に入れてもおいしいよね～
辛いの大スキ
私はカップ○ードルにタバスコとお酢をプラスするのがお気に入り!!
大量にね!!
特に掲載しているレシピは市販のものより洋風っぽさが強くないので和食にもよく合います
もみじおろしの代わりとして
白子にかけたら激美味!!
おナベにも合う!
なんでかね？日本のお酢で作ったからかな
？
唐辛子やお酢の種類を変えて味の違いを試すのも良さそうです！
できたできた
わぁ～いっぱいできたね
これ、お姉ちゃんにも送ってあげようか？
オレンジジュースってラベル貼って送っちゃう??
ニヤリ
「気をつけよう素手トウガラシと根に持つ妹」

やっぱり手作りがイチバン！

和風だし

難易度 ★☆☆☆☆

材 料

昆布　5cm
鰹節　30g
水　1.5ℓ

準備する器具

ザル , さらしの布

保存期間

冷蔵で３日
冷凍で１ヵ月

作り方

1 鍋に水とサッとから拭きした昆布を入れ、ひと晩置く（夏場は冷蔵庫へ）

2 1 を中火にかけ、小さい泡がプクプクとでてきたら昆布を取りだす。昆布を入れたまま沸騰させないように

3 いったん沸騰させてから 50cc ほど差し水（分量外）をし、鰹節を入れる

4 ひと煮たちしたらすぐに火を止め、アクをていねいに取る

5 鰹節が鍋底に沈むまで置いて、さらしの布を敷いたザルなどでこす。けっしてしぼらず、自然にしたたり落ちるのを待つ

昆布をひたす時間が取れないときは昆布と水を鍋に入れて弱火にかけ、沸騰直前に昆布を取りだす。このとき 10 分ほどで沸騰直前になるような火加減（弱火～中火）にするのがポイント

一番だしを使ったハマグリのお吸いもの

1、ハマグリ適量は水 200cc に対し塩小さじ 1 を入れたバットに入れて冷暗所に置き、砂抜きをする。砂抜き後は流水でこすり洗いをする
2、一番だし 1ℓ とハマグリを鍋に入れて火にかけ、ハマグリからでるアクをこまめにすくう
3、ハマグリは口が開いたらお椀に移し、一番だしに塩小さじ 1/2、酒大さじ 1 を加え、ひと煮たちさせる

青柚子が出回る夏に作っておきたい

柚子こしょう

難易度 ★☆☆☆☆

材料

青柚子　5個
生青唐辛子　100～130g
塩　小さじ2

準備する器具

おろし金，すり鉢

保存期間

冷蔵で6ヵ月
冷凍で1年

作り方

1 青柚子は水洗いし、皮をすりおろす。このとき、白いわたの部分はカビの原因になりやすいので、できるだけ入れない

2 青唐辛子はヘタを切り、縦半分に切って種を取りだしてからみじん切りにする

3 すり鉢に 1、2、塩を入れ、よくする。お好みで柚子果汁をしぼって入れてもよい。10日後くらいから味がなじんでおいしくなる

フードプロセッサーを使う場合は、薄くむいた柚子の皮、2～3cmに切った青唐辛子、塩を入れ、なめらかになるまでかける

何にでも合うオールマイティな味

ポン酢

難易度 ★☆☆☆☆

材料

柚子、すだち等の柑橘果汁　100cc
しょうゆ 100cc
みりん　20cc
和風だし　20cc

生の柑橘類が手に入りにくい場合は、すだち酢やだいだい酢を使っても

保存期間

冷蔵で2週間

作り方

1 鍋にすべての材料を入れ、ひと煮たちさせる

この間のタバスコと
ラー油で赤唐辛子は
使ったんだけど…
まだ青唐辛子
残ってるん
だよねー
どうする?
じゃあ
柚子こしょう
作ろうよ!
いいね!
柚子こしょう大スキ
柚子こしょうと言っても
材料はこしょうではなく唐辛子
柚子こしょうの
産地である
九州地方の一部では
唐辛子のことを
こしょうと呼んでいた
ためだそうです
柚子
コショウ
ちなみに胡椒の
ことは〝洋こしょう〟
と呼んで区別して
いるらしいよ
へえ さすが
九州男児の妻
└父九州出身
柚子こしょうで使わなかった果汁
はポン酢にするとおいしいです
単純に
柚
しょうゆ
1 : 1
でもおいしい!
すんごい
フレッシュ!
おお〜
おいしそう!
夏でもおナベ☆

柚子こしょうの香りがすっごくいいね～!!
これ使うだけで高級料亭のお鍋になるよ!!
たまらない…
お鍋以外にもサラダとかギョーザとか、いろいろ使えるしいいね!
明日はこれで柚子こしょうパスタにしよっか!
いや…お腹にやさしいものがいいな
茶碗蒸しとか…
なんで～どうしたの?
辛いのスキじゃん
最近、ちょっと胃がイタくってさー
こないだから唐辛子続きだから
ギリギリ
大量にタバスコかけるからだよ。それで入院したこともあるくせにこりない子だよ
おかわりっと。
自分だってダックダクにかけてるくせに!! なんで平気なの?
あっわかった!
ポム
この厚いお肉が胃を守ってるんだね
つかみッ
むんにょり
そんなわけないでしょ～～
…というわけで和風だしを作りたいと思います
コミは放っとこう

※私は留学中辛い物の食べすぎで入院したことがあります。

おいしい和風だしを取るための四カ条
その一、昆布の表面についた白い粉は拭き取らない！
ここにうま味がたっぷりあるんです！
その二、昆布を煮立たせない！
ヌメリや臭みがでてしまいます
その三、鰹節はこすだけでしぼらない！
つい やりたく なるけど…
にごりやえぐみがでてしまいます
その四、鰹節は煮出さない！
香りが飛んでしまいます
待て〜ッ!!
香り
香り

一番だしは
だしのうま味がそのまま味わえる
お吸い物や茶碗蒸しに

一番だし

二番だしは
味噌汁や煮物など濃い味つけの
料理に使用すると良いです

二番だしの取り方

①一番だしを取ったあとの昆布と鰹節、水適量を鍋に入れ、弱火で 10 分ほど煮出す

②新しい鰹節（水１ℓに対して5～10g）を入れる。ひと煮たちしたら火を止め、アクを取る

③鍋底に鰹節が沈んだらこす

できあがり☆
あぁ～
お腹にやさしい
だしをとった後の鰹節で作ったオカカ(P45)
ごちそうさまー！
さま！
3杯目
あ
そういえばゆんこから荷物が届いてたよ
あれっなんだろ?
ガササッ
?
胃にやさしいオレンジジュースだって！ナイスタイミング！
この間のタバスコのお礼だね！
じゃあさっそくいっただっきま～す！
待って！ それって…
ゴクン
ゆんこ印 胃にやさしい オレンジジュース♡
なんで同じ手にだまされるかな～
あの姉を簡単に信じちゃダメだよ
しかも自分で考えた手口なのに…
もぎゃーッ
前章で送りつけたタバスコが、ラベルを貼りかえられて戻ってきた。

旬の野菜を使った健康レシピ

ピクルス

難易度 ★☆☆☆☆

pickles

材料

きゅうりや大根　500g
塩　大さじ1
A
- 酢　300cc
- 砂糖　大さじ3
- 塩　大さじ1
- ローリエ　2枚
- 黒こしょう(粒)　3〜5粒

準備する器具

保存容器

ジャムと同じで
酸に強い鍋を
使ってね!

保存期間

冷蔵で2ヵ月

作り方

1 きゅうりは上下を切り落とし、瓶の大きさに合わせて切る。大根は拍子木切りする

2 1に塩をふって20分ほど置き、水分を抜く

3 流水で塩を洗い流し、水気を切る

4 鍋にAを入れ、火にかけ沸騰させる(鷹の爪やハーブ類を入れる場合は、このタイミングで)

5 保存容器に3の野菜をできるだけ隙間ができないようにピッチリと入れる

6 沸騰した4を野菜の頭がでないようにたっぷりそそぐ。翌日から食べられるが、食べ頃は1週間後くらいから

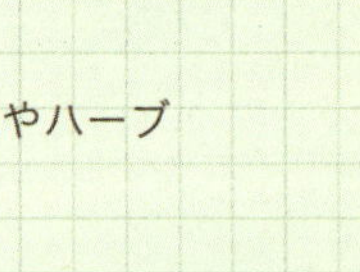

入れる野菜は、にんじん、セロリ、パプリカ、ラディッシュ、ペコロスなど。好きな野菜をどんどん入れてください。酢は、りんご酢やワインビネガーでもOK。また、お好みでクローブなどのハーブ類、鷹の爪やにんにく、しょうがなどを入れてもおいしくいただけます

できたてのおいしさを味わって

マヨネーズ

難易度 ★★☆☆☆

材料　約200g分

卵　1個
酢　大さじ2
サラダ油　150cc
塩　小さじ1/2
こしょう　少々

※お好みで辛子、すりおろしにんにくを入れて。サラダ油はオリーブオイルでもOK。酢もお好みのものを

準備する器具

ボウル，泡立て器

保存期間

冷蔵で3〜4日

作り方

1 卵は室温に戻しておく

2 ボウルに卵、酢大さじ1、塩、こしょうを入れ、塩が溶けるまでよく混ぜ合わせる

3 サラダ油を少しずつ(大さじ1程度)加え、その都度よく混ぜる

4 仕上げに残りの酢大さじ1を加え、よく混ぜ合わせる

手作りマヨネーズとピクルスを使って

タルタルソース

難易度 ★☆☆☆☆

材料

マヨネーズ　100g
ゆで卵　1個
玉ねぎ　1/4個
ピクルス　20g

※お好みでレモン汁や塩・こしょう、パセリを入れて

準備する器具

ボウル

作り方

1 玉ねぎはみじん切りにして、5分ほど水にさらしたあと、水気をよく切る

2 ピクルス、ゆで卵をみじん切りにする

3 ボウルにマヨネーズ、1、2を入れ、よく混ぜ合わせる

チヨピとお散歩していたときのこと
天気いいね〜！
ピタッ
ん？ チヨピ どうしたの？
じぃ〜〜〜…
KIDS タルタルバーガーセット
タルタルバーガー…
ハンバーガー屋さん行きたい？
強く こくこくッ
コミからもらったまり○っこり →
じゃ〜行っちゃおっか！
キャ
ちょ〜っと待ったぁ!!
ダメッ!!
チヨピはまだファストフード解禁してないんだから!!
姉
バッ
で
チヨピ〜〜
そんなわけで愛するチヨピのために、タルタルバーガーを手作りしちゃおうと思います！
手作りなら食べさせてもいいだろう！

まずはピクルス作りから！
ピクルス
フランクフルトのようなピクルス
昔、アメリカに旅行した時串ざしピクルスの屋台が出ていたことにビックリした。
この時オイシさに目覚めた♪
手作りだと自分好みに作れるのがステキ！ 好きな野菜を入れたり…
キュウリ
セロリ
ラディッシュ
パプリカ
タマネギ
ダイコン
ニンジン
味を自分好みに調節したり。
すっぱいのが気になる人は…
お砂糖を増やしてみたり
ハチミツに替えてみたり
すし酢で作るなんてのもアリ☆
少し長めに漬けるというのも手です！味がなじんでまろやかになるよ！
ポイントは野菜の頭まで汁に漬けること！
野菜が乾くとカビちゃうこともあります。
万一カビが生えてしまってもすぐに捨てなくて大丈夫
カビてしまった時の応急処置
①ピクルスを取り出し
カビた部分はカット
②漬け汁を沸騰させ…
③保存容器を煮沸消毒
④再度漬け直し。
とは言え、一度カビたら2～3日で食べてしまった方が安全！

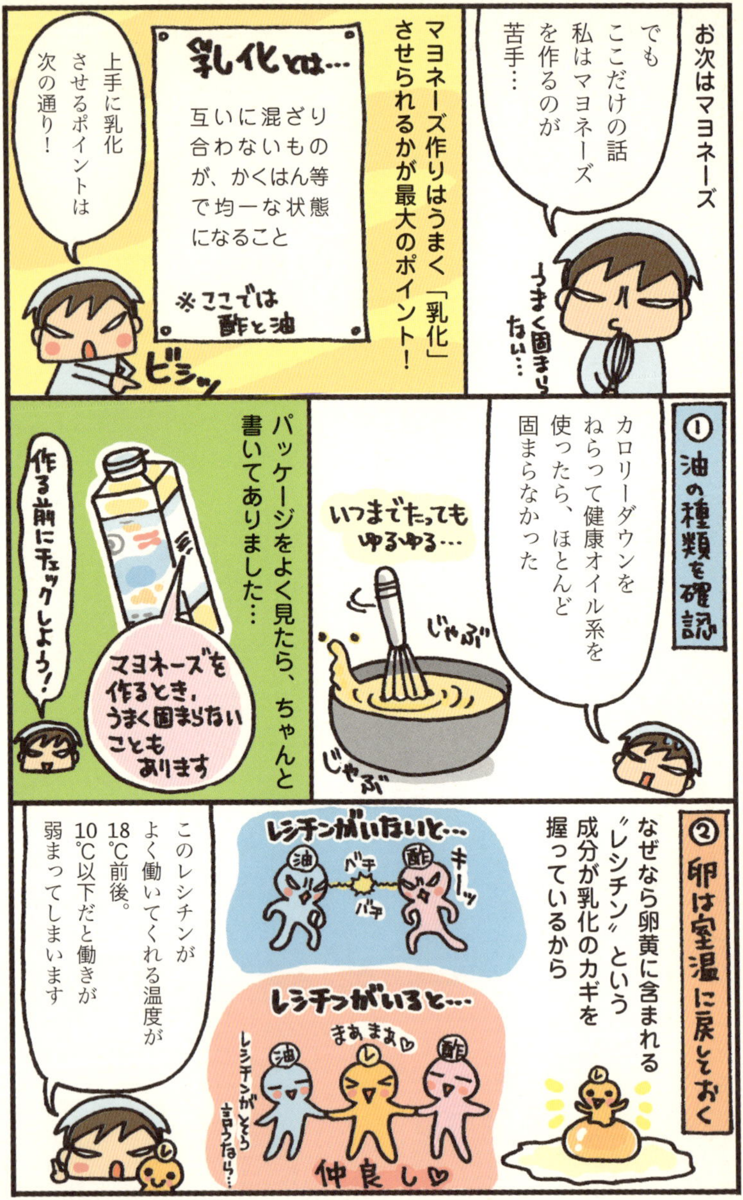

お次はマヨネーズ
でも ここだけの話 私はマヨネーズを作るのが苦手…
うまく固まらない…
マヨネーズ作りはうまく「乳化」させられるかが最大のポイント!
乳化とは…
互いに混ざり合わないものが、かくはん等で均一な状態になること
※ここでは酢と油
上手に乳化させるポイントは次の通り!
ビシッ
① 油の種類を確認
カロリーダウンをねらって健康オイル系を使ったら、ほとんど固まらなかった
いつまでたってもゆるゆる…
じゃぶ
じゃぶ
パッケージをよく見たら、ちゃんと書いてありました…
マヨネーズを作るとき、うまく固まらないこともあります
作る前にチェックしよう!
② 卵は室温に戻しておく
なぜなら卵黄に含まれる〝レシチン〟という成分が乳化のカギを握っているから
レシチンがいないと…
油
酢
バチ
バチ
キーッ
レシチンがいると…
まあまあ♡
油
レ
酢
レシチンがそう言うなら…
仲良し♡
このレシチンがよく働いてくれる温度が18℃前後。10℃以下だと働きが弱まってしまいます

③油は少量ずつ！
これがねー
面倒臭がりな
私には難しくて…
ついドバッと
入れたくなっちゃう…
ヨッ！
B型！
糸をたらすように少しずつ
加えてください
つーーー…
それでも分離してしまった
場合は…
市販のマヨネーズを
少し入れると
リカバリー
できちゃいます！
あとはゆで卵
と玉ねぎを
刻めば
タルタル
ソースの
完成！
カツはコミが
作ってね！
なぜ
メインを
自分で
作らない?!
ほ〜ら
チヨピ
カツは
コミ作
パンは
市販
タルタル
バーガー
だよぉ
……
オモチャは？
欲しかったのは
それかいッ!!
プ
いつまでもめいの心をつかめない
バカオバなのだった

tomato sauce

パスタやピザに欠かせない

トマトソース

難易度 ★★☆☆☆

材 料 約300cc分

完熟トマト　400g(2～3個)
玉ねぎ 1/2個
にんにく 1片
塩 小さじ1
砂糖 小さじ1
こしょう 小さじ1
オリーブオイル 大さじ3
バジル 3枚

※完熟トマト400gは、トマト缶1缶でも代用できます。ドライバジルを使用する場合は、小さじ1/2程度でOK

準備する器具

目の細かいザル

保存期間

冷蔵で1週間，冷凍で1ヵ月

作り方

1 玉ねぎ、にんにくはみじん切りにする

2 トマトは角切りにして煮くずれるまで中火で煮詰め、目の細かいザルでこす。トマト缶を使用する場合は、果肉を手で軽くつぶしてからこす

種が多いと酸っぱくなるので、こした方がGOOD!

3 鍋にオリーブオイルをひき、にんにくを入れて弱火で炒める

4 香りが立ってきたら玉ねぎを加え、透き通るまで中火で炒める

5 2、塩、砂糖、こしょう、バジルを加え、半分くらいになるまで中火で15～20分煮詰める

その他、ローズマリーやオレガノ、唐辛子、コンソメなどを加えてアレンジしても。パスタやピザの用途以外にも、チキンソテーやハンバーグのソースとして、オムライスにかけて、トマトリゾットなど、いろいろな楽しみ方があります。多めに作って冷凍庫にストックしておくと便利です

トマトとハーブのおいしい関係

ケチャップ

難易度 ★★☆☆☆

材料　約350cc分

完熟トマト　1kg(5～6個)
ワインビネガー　大さじ2
玉ねぎ　1/4個
にんにく　1片
A［砂糖　大さじ2
　 塩　小さじ1
B［ローリエ　1枚
　 鷹の爪　1/4本
　 シナモン　少々
　 セージ　少々
　 こしょう　少々

※完熟トマト1kgはトマト缶2缶でも代用できます。また、ワインビネガーは酢でもOK

準備する器具

ミキサー，目の細かいザル

保存期間

冷蔵で3週間
冷凍で2ヵ月

作り方

1 玉ねぎとにんにくは粗いみじん切りにする

2 トマトは熱湯に30秒ほどくぐらせ、すぐに冷水に取り、皮をむく(湯むき)

3 2のヘタを取り、4つ切りにしてスプーンなどで種をかきだす

4 3のトマトをざく切りにして1と合わせて、数回に分けてミキサーにかけ液状にし、目の細かいザルでこす

5 鍋に4とAの調味料を入れ、中火にかける。焦げつかないようにかき混ぜながら煮詰める

6 半分くらいになるまで30～40分煮詰めたらBの材料を加え、弱火でさらに5分ほど煮る

7 ローリエ、鷹の爪を取りだし、ワインビネガーを加え、好みの固さになるまで煮詰める

野菜とハーブのうま味が溶けだした

ウスターソース

難易度 ★★★☆☆

材料　約500cc分

トマトジュース　1ℓ
セロリ　1/2本
玉ねぎ　1/2個
にんじん　1/4本
にんにく　3片
しょうが　1/2個(20g)
昆布　10cm
煮干　5尾
りんご　1個
水500cc

A
- 黒こしょう　大さじ1
- 実ざんしょう　小さじ2
- レーズン　20g
- 鷹の爪　1本
- ローリエ　3枚
- シナモン　小さじ1
- ナツメグ　小さじ1
- クローブ　小さじ1
- タイム　小さじ1
- セージ　大さじ1
- クミン　小さじ1

B
- しょうゆ　100cc
- 砂糖　100g
- 酢　50cc
- 塩　大さじ3

準備する器具

おろし金，ミキサー，裏ごし器，
さらしの布，耐熱保存容器

保存期間

冷蔵で6ヵ月

作り方

1 煮干は頭とはらわたを取り除く。にんにく、しょうがはみじん切り、玉ねぎは薄切り、セロリ、にんじんは細切りにする。昆布はキッチンばさみなどで細切りにする

2 鍋に1、トマトジュース、水を入れ、40〜50分中火で煮込む

3 2を半分くらいになるまで煮詰めたらAの材料をすべて加え、弱火で15分ほど煮込む

4 りんごは芯を取り、皮ごとすりおろし、3の鍋にBの調味料と一緒に加え、15分ほど弱火で煮込む

5 4のあら熱が取れたらローリエを取りだしミキサーにかけ、裏ごしする。裏ごししたあと、さらにさらしの布でしぼりこす

こして残ったものは、カレーに入れるとオイシイよ！

6 こしたソースを再び鍋に入れて中火で10分ほど煮詰め、熱いうちに消毒した耐熱保存容器に入れて2週間程度、冷蔵保存する。1ヵ月以上寝かせるとまろやかになり、味に深みがでる

ダマにならないコツは？

ホワイトソース

難易度 ★★☆☆☆

材料 約400cc分

バター 30g
小麦粉 大さじ3
牛乳 450cc
塩 小さじ1/2
こしょう 少々
ローリエ お好みで1枚
※牛乳を50cc減らし、代わりに生クリーム50ccを入れるとなめらかに

準備する器具

木べら，泡立て器

保存期間

冷蔵で3日
冷凍で1ヵ月

作り方

1 鍋にバターを入れて弱火にかけ、半分ほど溶けたら小麦粉を加えて3分ほど炒める

2 粉っぽさがなくなり、少し色づいたら、冷えた牛乳を一度に加え、木べらでよく混ぜる。焦げないように注意

3 鍋底の小麦粉がはがれたら泡立て器に持ち替え、ダマにならないようにしっかりとかき混ぜる

4 全体がなじんだら塩、こしょう、(ローリエ)を加え、木べらに再度持ち替えてお好みの固さになるまで煮詰める。パスタやグラタンに使う場合はゆるめに、クリームコロッケに使う場合は固めに仕上げて

一度は作ってみたい超本格派

デミグラスソース

難易度 ★★★★☆

材料　約400g分

牛すじ肉　200g
バター　100g
小麦粉　大さじ4
赤ワイン(1)　200cc
赤ワイン(2)　150cc
トマトピューレ　300cc
にんじん　1本
玉ねぎ　1個
にんにく　3片
セロリ　1本
コンソメ　40g
水　1.5ℓ
サラダ油(1)　大さじ2
サラダ油(2)　大さじ1
A［タイム　少々
　 ローリエ　1枚
　 塩　小さじ1
　 砂糖　小さじ1
こしょう　少々

準備する器具

木べら，アルミホイル，ザル

保存期間

冷蔵で3日
冷凍で3週間

作り方

1 にんじん、玉ねぎ、セロリ（葉の部分も入れる）は3cm程度のざく切りにする。にんにくは、外皮をむかずに横半分に切る。牛すじ肉は、ひと口大に切る

2 フライパンにバターを入れて弱火にかけ、半分ほど溶けたら小麦粉を加える

3 木べらでよく混ぜながら炒めて、茶色くねっとりしたら火を止める

4 大鍋に水、コンソメを入れ沸騰させておく

5 3のフライパンを再び弱火にかける。赤ワイン(1)を少しずつ加え、その都度よく混ぜ合わせる。火はずっと弱火

6 さらに沸騰させておいた4のスープをとろみがなくなるまで少しずつ加え、のばしていく（スープの量はフライパンに無理なく入る程度でOK）

7 6を残ったスープが入っている4の大鍋の方に移し、トマトピューレを加え弱火で煮る

8 その間に、違うフライパンにサラダ油(1)、にんにくを入れて弱火にかける

9 香りが立ってきたら1でざく切りにしておいた野菜をすべて加え、中火で焦げないように炒める

10 玉ねぎに火が通ったら、4の大鍋に移し入れ、弱火で煮込む

11 野菜を炒めた後のフライパンにサラダ油(2)をひき、中火で1の牛すじ肉を炒める

12 少し焦げめがついたところで、赤ワイン(2)を加え、ひと煮たちさせてから4の大鍋に移し入れる

13 さらに、Aを4の大鍋に加え、アクを取りながら、中火で15分ほど煮る

14 大鍋にアルミホイルで落としぶたをし、さらにふたをしてとろ火で半分くらいになるまで2時間ほど煮込む。焦げないよう、ときどき鍋底から大きくかき混ぜる

15 煮終わったらザルでこす。材料をギュウギュウ押しつぶしながら、ソースを1滴残さずこす

16 こしょうで味を調える。とろみをつけたいときは、中火で煮詰める

ハンバーグやオムライス、カツレツにかけたり、ビーフシチューやハヤシライス、欧風カレー(94ページ参照)に入れて

母はソース類が大好きだ
どぱ
もぷ
どばーーん
とにかくソースというソースをたっぷり使う
どちらかというとソースメインで食べてるよねー
コ
えっ当然ですけど!?
何かおかしなところでも?!
……そんなに好きなら手作りしようか?
ソース色々
ホント?なんて良い娘なのっ!?産んでよかったわ～
スキッ♡
キャーー♡
ではまずウスターソースから
ウスターソース
イギリスのウスターシャー州で発祥したのでウスターソース
ウスターソース起源にはこんな話があります。
一八三五年頃、イギリスのサンズという人が、インドソースのレシピを手に入れ、2人の薬剤師に作らせた
（想像）
なんでボク達が…
薬剤師なのにぬ～
ぐっ
ぐっ

しかしあえなく失敗…
こんな味じゃない失敗だ!!
ガシャーン
スミマセン…
ソースは樽に入ったまま放置されていた
捨てるのもなんだし一応とっとくか的な…？
失敗ソース
それから数年後…
(数ケ月後という説もあり)
…なんだっけこの樽
失敗ソース
ペロ
んまーーーッ
なんじゃコリャーッ!!
ソースは熟成しおいしくなっていた…
へぇー
薬剤師が…
だからかは知りませんが作っている最中は漢方薬のような匂いがします
確かにウスターソースの匂いでもあるんだけど…
※リンゴを投入すると匂いはだいぶ落ちつく
お次はデミグラスソース！
これできるとお料理上手って感じするよね♡
"デミグラスソース作れます"とか何か？
オホホ

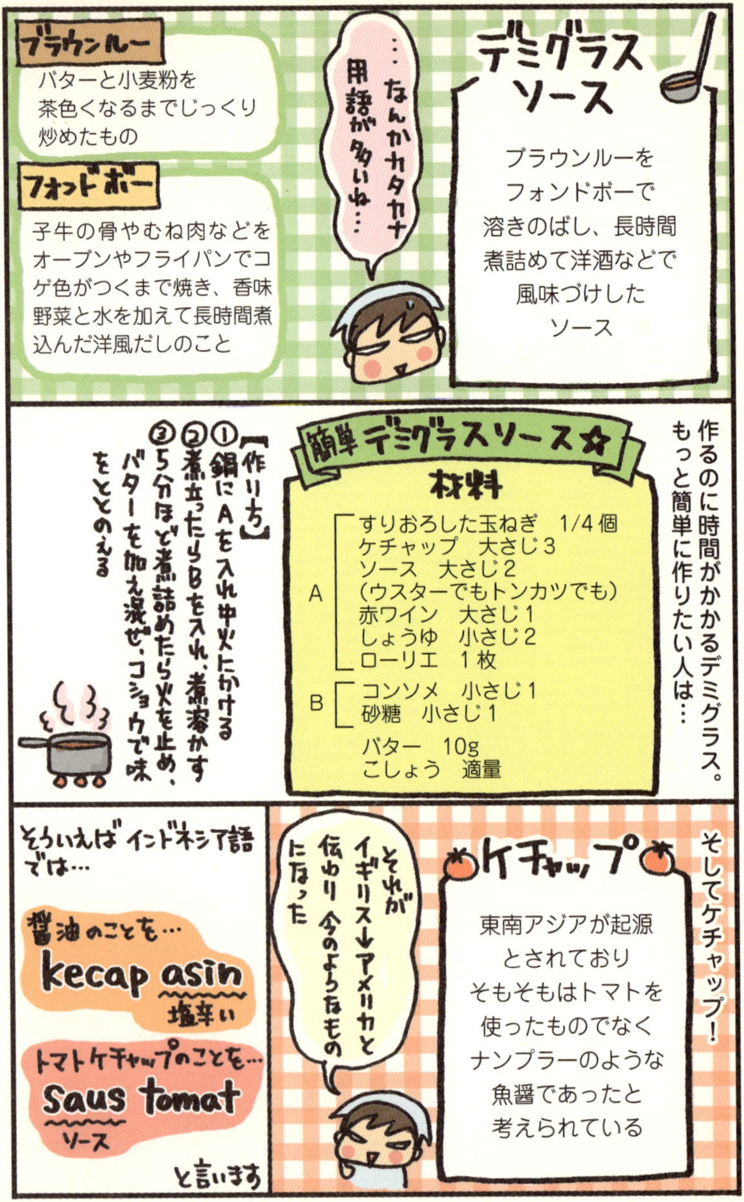

デミグラスソース
ブラウンルーをフォンドボーで溶きのばし、長時間煮詰めて洋酒などで風味づけしたソース
…なんかカタカナ用語が多いね…
ブラウンルー
バターと小麦粉を茶色くなるまでじっくり炒めたもの
フォンドボー
子牛の骨やむね肉などをオーブンやフライパンでコゲ色がつくまで焼き、香味野菜と水を加えて長時間煮込んだ洋風だしのこと
作るのに時間がかかるデミグラス。もっと簡単に作りたい人は…
簡単デミグラスソース☆
材料
A すりおろした玉ねぎ　1/4個
ケチャップ　大さじ3
ソース　大さじ2
（ウスターでもトンカツでも）
赤ワイン　大さじ1
しょうゆ　小さじ2
ローリエ　1枚
B コンソメ　小さじ1
砂糖　小さじ1
バター　10g
こしょう　適量
【作り方】
①鍋にAを入れ中火にかける
②煮立ったらBを入れ、煮溶かす
③5分ほど煮詰めたら火を止め、バターを加え混ぜ、コショウで味をととのえる
そしてケチャップ！
ケチャップ
東南アジアが起源とされておりそもそもはトマトを使ったものでなくナンプラーのような魚醤であったと考えられている
それがイギリス↓アメリカと伝わり今のようなものになった
そういえばインドネシア語では…
醤油のことを…
kecap asin
塩辛い
トマトケチャップのことを…
saus tomat
ソース
と言います

さらにトマトソース
トマトソース
イタリア料理の基本となるソースのひとつ
アレンジすると色んなパスタソースができちゃいます!
トマトソースにプラス…
+トウガラシ → アラビアータ
+あさり → ボンゴレ・ロッソ
+魚介 → ペスカトーレ
最後はホワイトソース
ホワイトソース
洋風料理で使われる白いソース。別名ベシャメルソース
ダマにならないコツはこちら☆
①小麦粉はよ~く炒めてバターとなじませること
バターが小麦粉全体にいき渡らないと、バターを吸った部分だけがダマになってしまう。
②キンキンに冷えた牛乳を使うこと
牛乳がぬるいと炒めた小麦粉にふれた部分が固まってダマとなってしまう
キンキン
牛乳
むは――♡
幸せ!!
クラッカー
できあがり
良かったねぇ
母はこうして〝もっぷり道〟をつき進んでいくんだなと思う娘であった

さらっとしたルーでナンにぴったり

インドカレー

難易度 ★★☆☆☆

材料　2〜3 人前

鶏肉　500g
玉ねぎ　2.5 個
トマト　1.5 個
にんにく　2 片
しょうが　1 かけ
サラダ油　130cc
バター　15g
ブイヨン 8g
水　600cc
カレー粉（市販）　大さじ 2.5
塩　小さじ 1/2
ローリエ　2 枚
鷹の爪　1〜3 本
ガラムマサラ（市販）　小さじ 1

※鶏肉は身がくずれにくい手羽元、
手羽先がオススメ

作り方

1 玉ねぎ、にんにく、しょうがはみじん切りにする。トマトは 1cm 程度のざく切りにする

2 鍋にサラダ油を熱し、玉ねぎ、にんにく、しょうが、バターを入れ、弱火で炒める

3 玉ねぎが飴色になったところでトマトを加え、トマトが赤茶色のソース状になるまで中火で炒める

4 カレー粉を加え、1 分ほど炒めたら、鶏肉、ブイヨン、水、塩、ローリエ、鷹の爪を加え強火にする

5 沸騰したら弱火にして、1 時間以上煮込む

6 火を止めてガラムマサラを加えて、混ぜ合わせる。ガラムマサラは香りが飛びやすいので、最後に入れるようにする

一般的にブイヨンは洋風だし、コンソメはそれだけでスープになるものを指す

肉のうま味をギュッと閉じこめた

キーマカレー

難易度 ★★☆☆☆

材 料　2〜3 人前

ひき肉　350g
玉ねぎ　大 1 個
にんにく　2 片
しょうが　1 かけ
トマト　1 個
サラダ油　大さじ 3
水　200cc
カレー粉(市販)　大さじ 2
牛乳(生クリーム)　大さじ 1
塩　小さじ　1/2
ガラムマサラ(市販)　小さじ 1

ひき肉は、牛、豚、鶏、合挽など何でもOK！

トマト缶1/2缶でも代用可能。ただ、水分が多く酸味が出やすいので、よく水気をしぼってから使うようにする

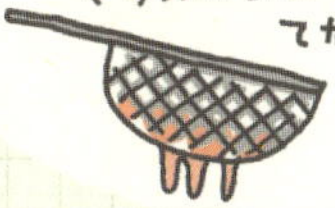

作り方

1　玉ねぎ、にんにく、しょうがはみじん切りにする。トマトは 1cm 程度のざく切りにする

2　鍋にサラダ油を熱し、玉ねぎ、にんにく、しょうがを入れ、弱火で炒める

飴色になるまで時間はかかるけど、じっくり炒めて玉ねぎの甘みを引き出して

3　玉ねぎが飴色になったところでトマトを加え、トマトが赤茶色のソース状になるまで中火で炒める

4　カレー粉を加え、1 分ほど炒めたらひき肉を入れ、パラパラになったところで水と塩を加え、煮詰める

5　弱火で 15 分ほど煮込んだら牛乳を加え、1 分ほど煮る

6　火を止めて最後にガラムマサラを加えて、混ぜ合わせる

比較的手に入りやすい材料で

グリーンカレー

難易度 ★★☆☆☆

材 料　2～3 人前

鶏肉　200g
なす　2 本
水煮たけのこ　1 本
カレー粉（市販）　大さじ 1 強
ターメリック　小さじ 2
クミン　小さじ 1/2
ココナッツミルク　300cc
ナンプラー　大さじ 1
スイートチリソース　大さじ 4
ガラスープの素　小さじ 2
にんにく　2 片
しょうが　1 かけ
塩・こしょう　少々
水　300cc
サラダ油　大さじ 3

※その他、ピーマンやキノコ類、エビなどをお好みで入れて

作り方

1 鶏肉はひと口大に切り、にんにくとしょうがはみじん切りにする。なすとたけのこの水煮は適当な大きさに切る

2 フライパンにサラダ油を熱し、にんにくとしょうがを入れ弱火で炒める

3 香りが立ってきたら、鶏肉、カレー粉、ターメリック、クミンを加え炒める

4 鶏肉の色が変わったら野菜類を入れ、全体に油がいき渡ったら、水とガラスープの素を加え強火で煮る

5 沸騰したらココナッツミルクとスイートチリソースを加え、ふたをして弱火で 15 分ほど煮込む

6 ナンプラーを加え、塩・こしょうで味を調える

ちょっとなつかしい和なカレー

そば屋のカレー

難易度 ★★☆☆☆

材料　2〜3 人前

豚肉(こま切れ)　150g
玉ねぎ　1/2 個
にんじん　1/4 本
じゃがいも　1 個
和風だし　800cc
しょうゆ　大さじ 3
みりん　大さじ 2
酒　小さじ 1
砂糖　大さじ 2
塩　小さじ 1/2
カレー粉(市販)　大さじ 1.5
バター　15g
サラダ油　大さじ 1
小麦粉　大さじ 2
片栗粉　大さじ 2

作り方

1 豚肉とじゃがいもはひと口大に切り、玉ねぎはくし切り、にんじんはいちょう切りにする

2 鍋に和風だし、しょうゆ、みりん、酒、砂糖、塩を入れ、中火にかける

3 沸騰したら 1 を加え、アクを取りながら弱火で 10 分ほど煮る

4 その間にフライパンにバターとサラダ油を入れて中火にかける。バターが溶けたら小麦粉を加えて濃い茶色になるまでよく炒め、カレー粉を加える

5 カレー粉がなじんだら、3 のスープをおたま 2 〜 3 杯入れ、よく溶いてのばす

片栗粉を一気に
入れると、そこだけダマに
なってしまうことがあるので、
必ず少量ずつ入れて

6 5 を 3 の鍋に移したら、2 倍の水(分量外)で溶いた片栗粉を少しずつ加え、その都度よく混ぜ、適度なとろみがつくまで煮込む

デミグラスソースでコクのあるうまさ

欧風カレー

難易度 ★★☆☆☆

材料　2〜3人前

牛肉　150g
玉ねぎ　1/2個
にんじん　1/2本
じゃがいも　1個
トマト　1/2個
デミグラスソース　150g
コンソメ　5g
カレー粉（市販）　大さじ1.5
バター　15g
サラダ油（1）　小さじ1
サラダ油（2）　大さじ1
サラダ油（3）　大さじ1
小麦粉　大さじ2
水　400cc
塩・こしょう　少々

※牛肉は薄切でもカレー用でも何でもOK

作り方

1　じゃがいもとにんじんはひと口大に切り、玉ねぎは薄くスライスする

2　トマトは湯むきして、1cm程度のざく切りにする

3　大きめの鍋に2のトマトを入れて中火にかけ、つぶしながら3分ほど炒めたら、火を止める

4　別の鍋にサラダ油（1）を熱し、玉ねぎを飴色になるまで中火で炒めたら、火を止める

5　3の鍋にデミグラスソース、コンソメ、水、4を入れて中火にかけ、沸騰したら弱火にして煮込む

6　牛肉はひと口大に切り、塩・こしょうを軽くふる

7　フライパンにサラダ油（2）をひき、6の牛肉を焦げないように焼く

8 牛肉の色が変わったらじゃがいもとにんじんを加えて、中火で3分ほど炒める

牛肉やじゃがいもなどを炒めている間も5の鍋は弱火で煮込みつづけてね

9 8を5の鍋に移し、具材が柔らかくなるまでさらに20分ほど煮込む

10 フライパンにバターとサラダ油(3)を入れて中火にかけ、バターが溶けたら小麦粉を加えて、よく炒める

11 濃い茶色になるまでよく炒めたらカレー粉を加え、煮込んでいる5のスープをおたま2〜3杯入れ、よく溶いてのばす

12 11を5の鍋に移し、とろみがつくまで煮込む

欧風カレーに合うバターライスの作り方（4人前）

1、米4合はといでザルにあげ、水気を切る
2、玉ねぎ1/2個はみじん切りにする
3、炊飯釜に1、2、バター 50g、コンソメキューブ1個、ローリエ1枚を入れ、水を4合分の線まで入れて炊く
4、炊き上がったらローリエを取りだし、しゃもじでほぐして、お好みでこしょう、みじん切りにしたパセリをかける
※そのほか、コーンやみじん切りにしたにんじんなどを一緒に炊いてもおいしい。また、卵で包んでオムライスにしても

カレーに合うラッシーの作り方（1人前）

プレーンヨーグルト　100g
牛乳　100cc
砂糖（ハチミツ）　大さじ1
レモン汁　お好みで

すべての材料をよく混ぜ合わせるだけ。よく冷やして召し上がれ。バナナやマンゴー、キウイ、いちごなどと一緒にミキサーにかければフルーツラッシーになります。お好みのフルーツでどうぞ！

ある日曜日
ガラッ
父→
ハラ減った〜
ぐうう
あれ?コミは?
ふん
ふん
↑コイノボリ体操中
おばーちゃんと買い物に出かけたよ
え!ごはんはどうすんの?
私が作るよ!何が食べたい?
今まで食べさせられたもの
トムヤンクン
フオー
ピサンゴレン
ここにもアジア料理被害者
じゃぁ…カレーでいい
無難に
材料あるし♥
なんでもいいって!
父
カレーがいいです
ま
サラダも作るね!
父
カレーだけでいいです!
カレー以外作るな!!

余計なことすんなよ!!
ピシャッ
…何あの言いぐさ…
そんなに言うならおいしいカレーを作ってやろうじゃないの!!
うぬぅ〜ッ
ぐに
ムキ〜〜ッ
じぃ――……
なんかよくわからんが燃えちゃってるし…
不安だ
カレーとひと口に言っても世界各国様々な種類があります
インドカレー
小麦粉を使わない さらっとしたカレー。
スパイシー☆
お♡
こそっ
じゅるっ
これは今日は
作らない

欧風カレー
ブラウンソースをスープでのばし
カレー粉で味をつけたもの
コクがある!!
これも
またの機会に
キーマカレー
キーマはヒンドゥー・ウルドゥー語で
ひき肉の意味。
そば屋のカレー
カレー粉を鰹だしで溶き
片栗粉でとろみをつけたもの
これまた
!?
じゃあ何作るんだよ??
作らない〜
今日作るのは…
グリーンカレー!!
アジアちっく!!
…よりによってタイカレーって!!
あいつ…

今日はカレー粉も自分で配合しちゃいます
カレー粉から…？
ぐぅぅ
ちなみにインドにはカレー粉は存在しません（家庭によってスパイスの調合が違う）
カレー粉の基本配合
コリアンダー　小さじ5
クミン　小さじ2
ターメリック　小さじ1
レッドペッパー　小さじ1
ボーッ
辛いのが好きな人はレッドペッパーを多めにしてね！
さらにガラムマサラも配合してみたい人はこちらを参考にしてください
ガラムマサラの基本配合
コリアンダー　小さじ3
カルダモン　小さじ3
クミン　小さじ2
クローブ　小さじ1
シナモン　小さじ1
ブラックペッパー　小さじ1
弱火で30〜60秒加熱するだけ！
香りが強いので換気もしっかり
グリーンカレーの味のポイントはココナッツミルク
スパイス類がなじんでコクが生まれます
おいしーよね♡
ココナッツ
ココナッツミルク大キライ
缶詰のココナッツミルクは沈殿して下の方が濃くなっているのでよくふってから
シャカ
シャカ

余ったココナッツミルクでタピオカデザートをどうぞ！
タピオカデザート
材料A
ココナッツミルク　牛乳　砂糖
1 : 1 適量
①タピオカ（適量）をゆでる
②透明になったらザルにあげ冷水に取る
③Aを混ぜてタピオカにかける
ハッ!!
絶対嫌がらせだ…
♪グリーン
グリーン
ココナッツ〜がッ
きいてる
カレェ〜〜♪
グリーン♪
グリーン♪
じぃ〜〜
サッ
ササッ
なにか気配がしたような…
？

完成〜〜
私はナス・タケノコ・ピーマン
エリンギを いつも 入れます
さ〜てと あとは ごはんを 炊くだけ〜
♪
ぬあッ?!
炊飯器の あるべき場所
グリーーン カレー 断固拒否!! 母
ひらッ
ただいま!
仲良くごはん 食べてるー?
宅配ピザ
ごはんなし カレー
…なんで 2人して別のもの 食べてんの?
ノーコメント!!
ふんッ

手軽に作れる簡単白梅干し

梅干し

難易度 ★★★☆☆

材料

梅（完熟） 1kg
あら塩 150g
ホワイトリカー（焼酎） 大さじ 3

※梅は 6 月頃にしか出回ってないので、
チャンスを逃さないように

準備する器具

ザル , 竹串 , 保存瓶
（3ℓ用）,（ビニール袋）

保存期間

冷暗所（冷蔵）で 2 年

塩分を梅に対して17〜20%にすると、さらに長く保存ができる。塩分が低いほどカビのトラブルが起きやすくなる。

作り方

1 梅は水洗いをし、たっぷりの水に 2 〜 3 時間つけてアクを抜く

2 水気を 1 粒ずつていねいに拭き取り、竹串などでなり口を取る

3 消毒した保存瓶の底にあら塩をふり、梅を敷き詰めて、またあら塩をふる。この作業を繰り返す。あら塩は溶けやすく、ミネラル分も豊富でまろやかな味になる

4 最後にホワイトリカーを入れ、全体にいき渡るように保存瓶をやさしくゆする。瓶に余裕がある場合は、二重にしたビニール袋に水を入れ重石にする

5 冷暗所に 4 〜 5 日置いておくと水分（梅酢）がでてくるので、全体にいき渡るように保存瓶をやさしくゆする

6 梅雨があけるまで数日に 1 回、梅が乾いていないか確認。梅に乾いた部分があるとカビがでやすくなるので、保存瓶をゆすって梅酢をいき渡らせる

7 梅雨があけたら、ザルに梅を並べて風通しの良いところで天日干し（日が落ちたら屋内に取り込む）。途中、梅を裏返す。これを２～３日つづける

8 消毒した保存瓶に梅を入れ、冷暗所（冷蔵）で保存する

天日干しをすることで、余分な水分が飛び保存性が上がる。また太陽光は梅を殺菌し、皮をやわらかく、実をねっとりさせる効果がある

あまった梅酢を活用した一品

新しょうがとみょうがの甘酢漬け

難易度 ★☆☆☆☆

材 料

新しょうが　300g
みょうが　10 個
甘酢
- 梅酢　300cc
- 砂糖　150g
- 塩　小さじ 1

新しょうがが
出回るのは
6月から秋口
くらいまで

※梅酢は酢でも OK。塩の量は梅酢の塩分で加減する。甘めが好きな人は砂糖の量を増やしても

shinshouga + myouga
amazuzuke

準備する器具

ザル , 保存瓶

保存期間

冷蔵で３ヵ月

作り方

1 鍋に甘酢の材料を入れて中火にかけ、ひと煮たちしたら火を止め冷ましておく

2 みょうがは水洗いして、スライスする。新しょうがは水洗いして、皮を薄くむき、スライスする。ほんのりピンク色にするために、先の赤い部分は切り取らない

3 鍋に湯を沸かし、新しょうがを２～３分ゆでる。新しょうががゆで上がる 10 秒前にみょうがを入れ、サッとゆでる

4 ザルにあげ水気をしっかり切ったら、熱いうちに甘酢に漬ける。味がなじむのは ３～ ４ 日後から。保存は材料が常に甘酢に漬かっている状態で。使い終わった漬け酢は、すし酢や酢の物に利用

ちびちび飲みたいコクのある果実酒

梅酒

難易度 ★☆☆☆☆

材料

青梅　1kg
氷砂糖　600g
ホワイトリカー　1.8ℓ

※完熟した黄色い梅を使用した梅干しに対し、
梅酒は未熟な青い梅を使用します

準備する器具

竹串，保存瓶（4ℓ用）

保存期間

冷暗所で保存

※基本的に悪くならないが、
にごらないように、実は１年
経ったら取りだす

作り方

1 青梅は水洗いし、たっぷりの水に
２～３時間つけアクを抜く

2 １粒ずつていねいに水気を拭き
取り、竹串などでなり口を取る

3 消毒した保存瓶に梅と氷砂糖を交互に入れる。氷砂糖はゆっくり溶けるので、梅のように時間をかけてエキスが抽出されるものに向いている

4 ホワイトリカーをそそいで冷暗所に置き、思い出したときに瓶をゆすって均等に漬かるようにする。２～３ヵ月後から飲めるが、１年以上置いた方がおいしい

自家製梅酒で梅酒ゼリー

1、耐熱容器に粉ゼラチン 5g と水 50cc を入れ、10 分ほどふやかす
2、梅酒 100cc、水 150cc、砂糖大さじ 1 とレモン汁を少量入れ、よく混ぜ合わせる
3、1 をレンジで 30～40 秒（500W）加熱する
4、3 を 2 と混ぜ合わせ、型に流し入れる
5、あら熱が取れたら冷蔵庫に入れ、冷やし固める
※梅の実を刻んで入れてもおいしい

夏場の健康ドリンクにうってつけ

梅シロップ

難易度 ★★☆☆☆

材料

青梅　1kg
ハチミツ　1kg

※ハチミツの代わりに
氷砂糖で作ってもよい

準備する器具

竹串，保存瓶（3ℓ用）

保存期間

冷蔵で 3 ヵ月

作り方

1 青梅は水洗いし、たっぷりの水に 2 ～ 3 時間つけアクを抜く

2 1 粒ずつていねいに水気を拭き取り、竹串などでなり口を取る

3 梅に竹串やフォークで 10 ヵ所くらい穴をあけ、消毒した保存瓶に梅を入れ、ハチミツをそそぐ。氷砂糖で作る場合、梅から水分がでるのに時間がかかるため発酵しやすい。発酵を防ぐため、ホワイトリカー 100cc を一緒に入れる

4 ハチミツが梅全体にいき渡るように瓶をゆすって、冷暗所に 1 ヵ月ほど置く

残った梅は、エキスができってシワシワ。正直言ってあまりおいしくないが、そのまま食べたり梅ジャムにして有効活用しよう

梅シロップ活用法

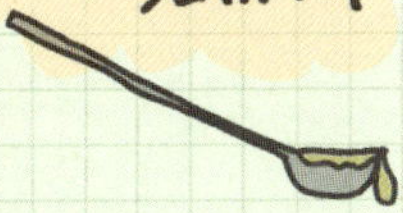

牛乳で割ると飲むヨーグルトのようになる

炭酸水や氷水で割る（111ページ参照）

かき氷やホットケーキにかける

――私の夢、それは…
実のなる植物を
庭にたくさん植えること
私の夢
3-B まめこ
私の夢は広いお庭の家に住み実のなる木をたくさん植えることです。
夏ミカン・クルミ・プルーン・あんず・ザクロ・イチヂク…
数珠の実…
そして馬とヤギと烏骨鶏も飼いたいです。
その中でも特に植えたいのが…
梅ッ
梅の実の香りの良さったら!!
そして
なんと
いっても
いろんなものを
作れちゃうことが
最大の魅力ですよね!
まずは梅で作るものの代表格
梅干し
季節や天気を気にしながら
天日干しをしていると
はやく梅雨明けないかな〜
今日はいい天気だ…
毎日をていねいに生きている
気がして嬉しくなります

梅干し作りのポイント
青梅を購入した場合は
追熟させよう!
青梅をザルにあげて黄色くなるまで
1〜3日日陰に置いておく。
先に完熟する梅が出てきた場合は
その梅だけ冷蔵庫へ入れる。
水洗いしたあと
一粒ずつしっかり水気を拭く!
水気が残っていると、カビの原因になります。
なり口を取るときには
キズつけないようていねいに!
キズや黒い斑点は
カビの原因になる。
なり口
なり口が残っていると、
渋みのあるものになるので
ちゃんと取る!
梅を干すときは、ザルの下からも
風が通るように工夫を!
例
ザルにひもを通して吊したり…
ザルの下にレンガを置いたり
万一カビが生えてしまったら…
ホワイトリカー
スプーンなどで、カビの部分と
その周りの液も取り除き、
ホワイトリカー(焼酎)で洗う。
梅酢は鍋に入れ、火を通し
冷ます。再度消毒した保存
容器に冷めた梅酢を戻し
入れる。
カビがひどい場合は
梅干しはあきらめ塩抜きし
火を通して食べます
(ジャムや甘露煮)
塩抜き
たっぷりの水に梅を
半日つけておく。
途中で2〜3回水を
取り替える。

赤い梅干しを作りたい場合は…

① 赤じその葉 100g をよく水洗いして乾かし、塩小さじ 2 をふって 10 分ほど置いたあとにボウルに入れ、よくもむ

② アク（黒い汁）がでたら、汁をしぼって捨てる

③ 再び塩小さじ 2 をふってもみ、アク抜きをしたら梅酢（ない場合は酢）をひたひたになるまで入れ、赤紫色に染まるまでもむ

④ ③を汁ごと 102 ページの工程 5（梅酢がでてきたあと）の段階で保存瓶に加える。あとの作り方は同じ！

梅干しでできた梅酢もいろいろなものに使えて便利です
我が家ではおソーメンのときに使ってます
お醤油 + 梅酢
すんごいサッパリ
食欲ない時に良いです!
他にも砂糖を加えて酢の物を作ったり
ドレッシングに混ぜて使ってもおいしいです
便利!
さらに赤梅酢なら紅しょうがを作ることも!!
赤梅酢に千切りした新しょうがを漬ける。
新しょうがは漬ける前に2〜3分ゆでるとアクが抜けます
ちなみにしょうがは…
繊維に沿って切ると(皮の横しまに対して直角に切る)
シャキ シャキ
逆に切ると(切り口を見ると繊維が毛羽立っているよ)
サク サク
切り方によって食感が違います

そして梅と言えば、こちらも忘れてはいけません
梅酒!
時間がたつごとに美味しくなっていくのが楽しみ!
子どもやアルコールが苦手な人でも梅シロップなら大丈夫!
プスッ
我が家は大きいフォークで穴をあける。(一度に4穴で早いから)
うめじゅーちゅ!!
ちょっと大人な気分?
梅シロップはカビが生えやすいのでその点には注意してください
梅酒と違って実が下に沈まない。
シロップから出ている部分がカビるので、こまめに瓶をゆすったり重しをのせたりして工夫を!!
また中身が発酵することがあるのでときどきふたを開けましょう
プひーはッ
できあがったときにアルコールっぽい匂いが気になる場合はシロップをガーゼ等でこしたあと弱火で5分ほど煮ます
…というわけで引っ越さない?
うちの庭じゃ植えるスペースないから
不動産情報
はあ?
嫁ぎ先でやってください

iced coffee

水出しで香りとまろやかさが引き立つ

アイスコーヒー

難易度 ★☆☆☆☆

材 料

コーヒー豆　100g
ミネラルウオーター　1ℓ

※コーヒー豆の品種は、どんなものでも良いが、細挽き・深煎りタイプのものを選ぶようにする

準備する器具

ガラスポット , フィルター ,（お茶パック）

作り方

1 ガラスポットなどにコーヒー豆とミネラルウオーターを入れ、冷蔵庫に 8 時間前後置く

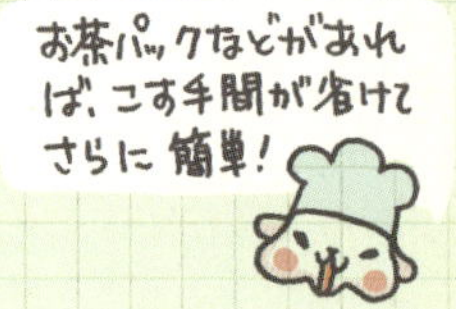
お茶パックなどがあれば、こす手間が省けてさらに簡単!

2 コーヒー豆をフィルターでこす

時間があまりないときは、水をぬるま湯程度まで熱してからコーヒー豆を入れる。あら熱が取れたら冷蔵庫に移せば 3〜4 時間でできあがる

ちょっとだけ欲しいときにも

ガムシロップ

難易度 ★☆☆☆☆

材 料　約 140cc 分

グラニュー糖　100g
水　100g

gum syrup

作り方

1 鍋にグラニュー糖と水を入れて火にかけ、グラニュー糖を煮溶かす

2 少しトロッとしたら火を止めて冷ます

さわやかなフレッシュドリンク

スカッシュ

難易度 ★☆☆☆☆

作り方

1 果汁やシロップを炭酸水で割って、お好みでガムシロップや氷を入れるだけ！

レモンスカッシュ

材料

レモン果汁　1/2 個分
炭酸水　150cc
ガムシロップ　適量

lemon soda

ume soda

梅スカッシュ

材料

梅シロップ　大さじ 2
炭酸水　150cc

グレープフルーツスカッシュ

材料

グレープフルーツ果汁　1/2 個分
レモン果汁　1/2 個分
炭酸水　150cc
ガムシロップ　適量

grapefruit soda

はぁ～
暑いっ!
ダイエットきついわ～
ノド乾いた～レスカが飲みたくなっちゃったー
何レスカって?
家の周り一周しただけでダイエット呼ばわり!?
え～そんなことも知らないの?
ダサッ
む
エッヘン!
あのねレスカって言うのはー
あ、あった
カタカタ
パソコン
「レモンスカッシュの略。ちなみに死語」
死語～～…
え～～ん!!…
そんなに飲みたいなら作ってあげようか?
え～んって…最近それお気に入りだよね
レスカとやらを…
ガバッ
えっ家でできるの?
簡単だよ!! 必要なのはレモンと炭酸水とガムシロップだけだもん!

レスカ
できあがり
ゴクッ…
わ～い
いっただっきまーす！
‼
おいしい！
今まで
飲んだ
レスカの
中で一番
オイシイよ
でしょ！
ちなみに
生果汁の代わりに
果汁ジュースでも
できるよ！
生の方がおいしいけどねー！
ズゴーーッ
今さらだけど
スカッシュって
なんなの？
スカッシュとは…
果汁をソーダ水でわり、砂糖などで味つけしたもの
そういえばあいまいにしか認識してない
だから紹介したレシピ以外にも
オレンジ使用
オスカ
イチゴシロップ使用
イスカ
柚子茶使用
ユスカ
柚子
などいろいろできます
ぜひお好みのスカッシュを
見つけてくださいね
ジュコーーッ

食欲が増す季節は
主食になるレシピが盛りだくさん

秋

autumn

特別な器具がいらない平打ち麺

パスタ

難易度 ★★★☆☆

材料　約2人前

強力粉(デュラムセモリナ粉)　200g
卵　2個
オリーブオイル　小さじ2
塩　小さじ1/2

※デュラムセモリナ粉は、デュラムという種類の小麦を粗挽きにしたもののこと。もっちり、コシの強い麺に仕上がる

準備する器具

ボウル,粉ふるい,めん棒

保存期間

冷蔵で2日
ゆでたものを冷凍で2週間

作り方

1 ふるった強力粉をボウルに入れ、中央をくぼませて卵、オリーブオイル、塩を入れる

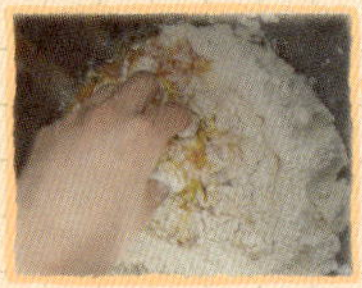

2 指先で卵を溶きほぐし、くぼみのまわりの粉を少しずつくずしながら混ぜ合わせる

3 全体が混ぜ合わさったら、手のひらで表面がなめらかになるまでよくこねる(約15分)

4 生地をひとかたまりにしてラップに包み、室温で1～2時間休ませる。生地を休ませることで、水分と粉がなじんでしっとりする

5 めん台に打ち粉(分量外／強力粉かデュラムセモリナ粉)をし、めん棒で生地を薄く伸ばす

6 生地を1～2mmになるまで均一に伸ばしたら、たっぷり打ち粉をして折りたたみ6～7mm幅に切る

途中くっつくようなら打ち粉を足し,のびにくくなったら再度ラップをして生地を休ませて

7 切った麺はほぐし、再度打ち粉をたっぷりして15分ほど休ませる。食べるときはたっぷりのお湯と塩(お湯1ℓに対して塩小さじ2)で2～3分ゆでる

pizza

ふっくらしたパン生地で

ピザ

難易度 ★★★☆☆

材料 約2枚分（直径20cm）

強力粉　100g
薄力粉　100g
ドライイースト　小さじ1
オリーブオイル　大さじ1
砂糖　小さじ1
塩　小さじ1
牛乳　150cc

保存期間

冷蔵で2日、冷凍で1ヵ月

※冷凍する場合は、発酵が終わった生地を丸め、ラップでぴっちり包む。使うときは自然解凍し、生地を成形する

準備する器具

ボウル，粉ふるい，めん棒，オーブンシート

作り方

1 ボウルにふるった強力粉と薄力粉を入れ、中央をくぼませてドライイースト、オリーブオイル、砂糖を入れ、端に塩を入れる

2 牛乳を40℃程度に温める

ちょうどお風呂の
お湯加減だね〜

3 牛乳をくぼみにそそぎ、最初はドライイースト、オリーブオイル、砂糖を溶かすようにして指先で混ぜ、徐々に粉類と混ぜ合わせてこねる

発酵に適した室温
については42ページ
参照！

4 粉っぽさがなくなるまでこね（約10分）、全体がなめらかになったらひとまとめにして、オリーブオイル（分量外）を表面に薄くぬる

5 ボウルに入れラップをかけ、2倍の大きさにふくらむまで1時間ほど室温に置き発酵させる

6 生地を2等分する。天板にオーブンシート敷いて生地をのせ、指の腹で生地の空気を抜きながら均一に伸ばす。お好みのトッピングをして、200℃に予熱したオーブンで15分ほど焼く

今日も姉とチヨピが遊びに来ている
まめこしぇんしぇーピジャちゅくってくだしゃい!
ビシッ
チヨピ〜ピザ食べたいの?いいよ〜いくらでも作るよ!
ターッ
おかーしゃんまめこしぇんしぇーに言ってきたよーー!
おチヨありがとく♥
なーんだチヨピが食べたいんじゃないんなら作らない〜
タバスコの件をまだ根に持っている →
プーン
バカだよ〜この妹は
おかーしゃん♥
スリスリ
ピザ食べたい ← でも動きたくないから、食べに行けない ← 宅配ピザ?! ← 割高 ← チヨピの育児費が減る ← 手作りなら大丈夫!!
よく考えてごらんよ!豆がピザを焼くことは
最終的にはチヨピのためになるんだよ?
チヨピのためなら!!
よし何ピザがいい?
ウププ

ちょっとだまされている気が
しつつもピザ作り開始☆
おお！また会ったね♥
今回もガンバろうね!!
ドライイーストのイーちゃん
ピザ生地は
パン生地の作り方と
基本は同じ
ドライイーストとオリーブオイルが混ざってお酒っぽい香りがする
ラムレーズン？
くんくん
くんくん
マルゲリータの作り方
フレッシュトマトをのせても！
トマトソースをぬり、モッツァレラチーズをのせ、焼けたらバジルをトッピング
ホワイトソースには
魚介類のトッピングがよく合います
私はこんなのを作りました！
ホワイトソース
とろけるチーズ
バジル
エビイカ
（冷凍のシーフードミックス）
ちなみにこのピザ生地を
ちょっとアレンジすると
フォカッチャになります
生地を天板の上で伸ばし、指でくぼみをつける
たっぷり！
オリーブオイルをぬり、あら塩をふって焼く
この粗塩がおいしい！
岩塩だとさらに

お〜いし〜!!
良かった♡
チヨピはおいしいとマユゲが上がる。
生地を薄く伸ばしてクリスピー風に焼いたり、トッピングを工夫してオリジナルピザを作っても！
私が今考えているピザ
こしあん
とろけるチーズ
甘いカリカリ梅をきざんだもの（これも焼いた後）
溶かしたバターをぬってから、上記のものをのせる。焼いてからゆでたタピオカをトッピング！
…コミが好きそう
翌日また遊びに来た2人
まめこしぇんしぇーちゅるんちゅくってくだしゃい！
ビシッ
いーよいーよ！かわいいチヨピの頼みなら！どのちゅるん？
※チヨピは麺類全て「ちゅるん」と呼んでいる。
ターーッ
おかーしゃんどのちゅるんーー？
パスタだよパ・ス・タ!!
タ・シュ・パちゅくってくだしゃい!!
パスタね…
またあの姉の企みか…
私のためにパスタを作ることは、イコールチヨピの…
いーよ、わかった作りましょう
イエーイ!!
ナイス使える妹!!
ただし今回は手伝ってね！

姉妹仲良く パスタ作り☆
え〜…
では 自宅で作りやすい "タリアテッレ"を 作りましょう!
何よ? "体当たり"って
パスタは太さや形で名前が変わり 向いている調理法も違ってきます

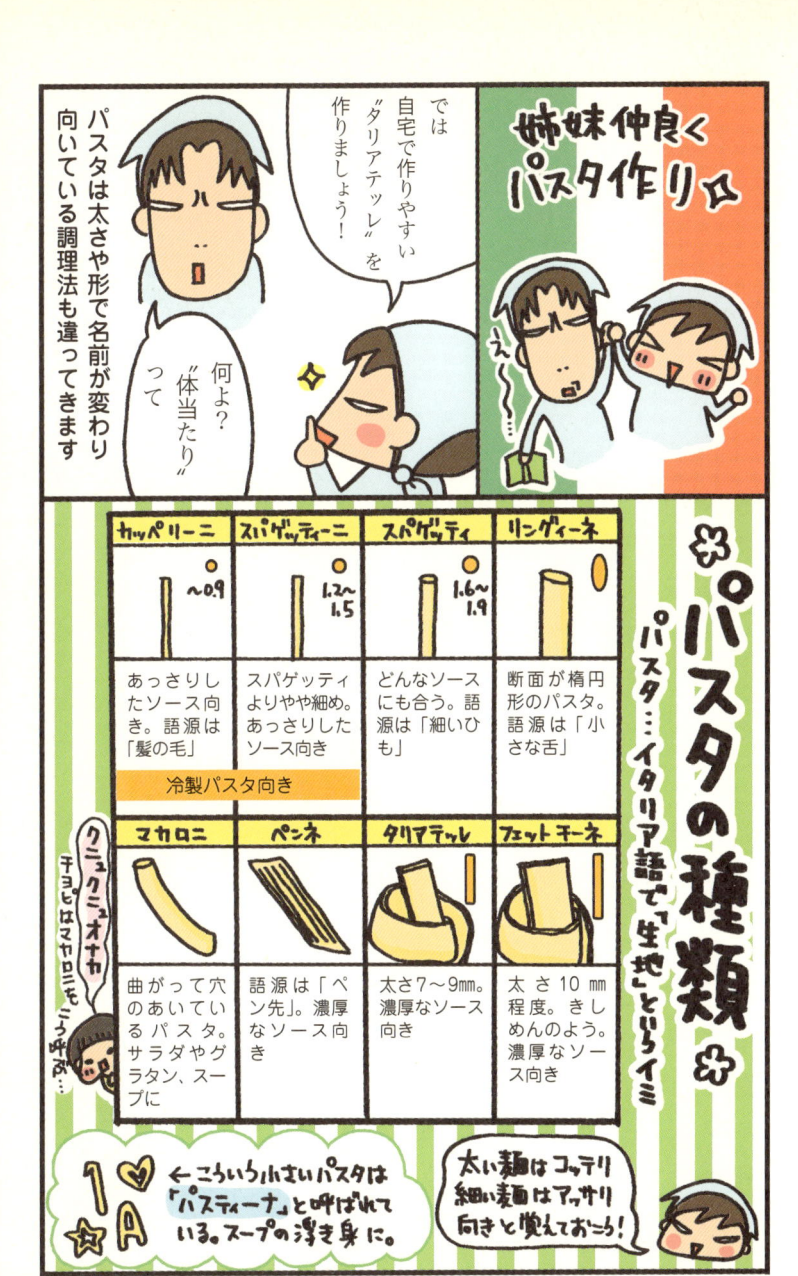

パスタの種類

パスタ…イタリア語で「生地」というイミ

カッペリーニ	スパゲッティーニ	スパゲッティ	リングィーネ
~0.9	1.2~1.5	1.6~1.9	
あっさりしたソース向き。語源は「髪の毛」	スパゲッティよりやや細め。あっさりしたソース向き	どんなソースにも合う。語源は「細いひも」	断面が楕円形のパスタ。語源は「小さな舌」
冷製パスタ向き	冷製パスタ向き		

マカロニ	ペンネ	タリアテッレ	フェットチーネ
曲がって穴のあいているパスタ。サラダやグラタン、スープに	語源は「ペン先」。濃厚なソース向き	太さ7～9㎜。濃厚なソース向き	太さ10㎜程度。きしめんのよう。濃厚なソース向き

クニュクニュオナカ
チョピはマカロニをこう呼ぶ…

←こういう小さいパスタは「パスティーナ」と呼ばれている。スープの浮き身に。

太い麺はコッテリ 細い麺はアッサリ 向きと覚えておこう!

パスタ作りで大変なのは生地を伸ばすこと根気よくがんばって伸ばそう！
弾力があるのですぐ戻ってきてしまう。
しゅるる…
これをうす〜くのばせばラザニアやラビオリにも使えます☆
じゃあとはよろしくね
私ソース作るね
ぬぁ〜い
パスタソースにもいろんな種類がありますが、タリアテッレに合うのは濃厚ソース
濃厚！
ツナのトマトクリームパスタ（2人前）
オリーブオイル大さじ1
ニンニク1片みじん切り
水煮カットトマト缶
生クリーム100cc
コンソメキューブ1個
ツナ1缶
① オリーブオイルでにんにくを炒める
② 香りが立ったら水煮のカットトマト、ツナ、コンソメを入れ、5分ほど煮込む
③ 火を止めたら生クリームを加え、塩・こしょうで味を調える
鮭とほうれん草のクリームパスタ（2人前）
生クリーム200cc
コンソメキューブ1個
ほうれん草1/2束
鮭2切
玉ねぎ1/2個
バター20g
① ほうれん草は固めにゆで、適当な大きさに切る。鮭は焼いてほぐし、玉ねぎはみじん切りにする
② バターをフライパンで熱し、玉ねぎを透き通るまで炒める
③ 生クリーム、鮭、コンソメを入れ、コンソメが溶けたらほうれん草を加えて、塩・こしょうで味を調える
うんこれでソースはバッチリだね！
おいし♡

5分後…
つかれた
だれか交代!!
このパスタなかなかのびないんですけどッ?!
キッ
私は～忙しい♪
キャ♥
しーん…
じぃ…
まだ5ミリある
ストトトンッ
できたッ
ザボンッ
できあがり☆
え～これがタリアテッレ!?
太ッそしてすごい歯ごたえ…
そうだよ?なんか文句あんの!?
手伝ってくれないからでしょ!!
このパスタ名は「ゴンブトリーノ」
【教訓】面倒臭がらず麺は薄く伸ばそう!
「ぢゅるん」!
マズいとまゆげが下がる。

打ちたての香りと風味を楽しんで

手打ちそば

難易度 ★★★★★

材 料　約２人前

そば粉　150g
強力粉（中力粉）　100g
水　100〜110cc

※水分量は気温や室温によって変わる

準備する器具

ボウル，めん棒，ザル

保存期間

即日

作り方

1 そば粉と強力粉はよく混ぜ合わせてボウルに入れる

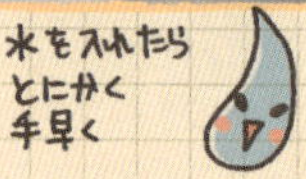

2 水を 50cc 加え、両手の指先でこすり合わせるようにして手早く混ぜ合わせる

3 全体に水がいき渡りポロポロとフレーク状になったら、水を 30cc 加える。手早く混ぜ合わせたら、さらに水 20cc を加える

4 細かいフレーク状になったら、ひとつにまとめて素早くしっかりとこねる。このとき、生地がまとまらないようなら、残っている水 10cc を様子を見ながら少しずつ加える

5 粉っぽさや色のムラがなくなって弾力がでてくるまでしっかりとこねたら、打ち粉（分量外／そば粉か強力粉）をしためん台に移し、手のひらで生地を平らに伸ばす

6 生地が 5mm 程度になったらめん棒に替え、均等な厚みになるよう、前後左右に押し広げるようにして伸ばす。途中途中、打ち粉をする

7 生地を 2mm 程度になるまで伸ばしたら、打ち粉をたっぷりして切りやすいようにたたみ、2〜3mm 幅に切る

8 切った麺はほぐし、再度打ち粉をする。食べるときはたっぷりのお湯で 1〜2 分ゆでる。ザルにあげ、流水で洗ってよくヌメリを取る。お湯の量が少なかったり、鍋が小さいとそばが切れる原因となる

もちもちシコシコの食感を堪能

手打ちうどん

難易度 ★★★☆☆

材料 約2人前

強力粉 100g
薄力粉 100g
塩 小さじ2
水 90〜100cc

（強力粉・薄力粉に添えて）中力粉200gでもOK!

準備する器具

粉ふるい，ビニール袋，めん棒，ザル

保存期間

冷蔵で1週間

作り方

1 強力粉と薄力粉はよく混ぜ合わせてふるい、ボウルに入れる。塩は水と合わせてよく溶かし、食塩水を作る

2 粉の中央をくぼませ、そこに食塩水を90cc加え、指先を使ってかき混ぜる

生地がある程度まとまったら、厚めのビニール袋に入れて足で踏むと力を入れずにこね上げることができる

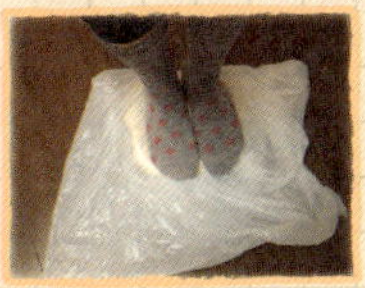

3 全体に水がいき渡ったら、ひとつにまとめてよくこねる（約20分）。このとき、生地がまとまらないようなら、残っている水を少しずつ加えていく

4 粉っぽさがなくなり、表面がなめらかになったらビニール袋に入れて室温で2時間ほど休ませる

5 打ち粉（分量外／片栗粉）をしためん台に移し、さらに5〜10分こね、再び30分ほど休ませる

生地を2度休ませることで、グルテンが作られ、コシのある麺になるよ

6 打ち粉をしためん台に置き、均等な厚みになるよう、前後左右に押し広げるようにしてめん棒で伸ばす。途中途中、打ち粉をする

7 生地を2〜3mmになるまで伸ばしたら、打ち粉をたっぷりして切りやすいようにたたみ、2〜3mm幅に切る

8 切った麺はほぐし、再度打ち粉をたっぷりする。食べるときはたっぷりのお湯で8〜9分（3mmの場合）ゆでる。ザルにあげ、流水で洗ってよくヌメリを取る

※我が家にはチヨピ向けの呼び名がある。
コミ→フーちゃん（婦長さん）　私→先生　父→ボス　祖母→親分

…って
私軽い
そばアレルギー
なんだよね
おそばはほぼ大丈夫だけど、そば湯はゼーゼーしちゃう。
ホント
ひ弱な子だよ～
情なッ
バフ
バフ
ガラッ
あなたには言われたくない!!（姉もひ弱）
そんな方は換気しながらやった方がいいかと思います
香ばしくて良い香りなんだけどね～～
掲載レシピは初心者でも打ちやすいようにそば粉と小麦粉の割合を6対4にしています
そば粉は粘りけが少ないので、初心者には100%そば粉で打つのは難しいのです。
小麦粉がつなぎの役目をしている。
経験を積んで慣れてきたら徐々にそば粉の割合を増やしていきます
そば粉100%のそばを10割そばという。
バンザーイ!!
そば作りで最も大事なのは水を加える工程（水回し）
そば粉はお水がスキ。
ゲソッ
水分けて～
ちゅー
水を素早く吸収！
しかも一度取り込んだら離してくれない。
（→テキトーにやると、場所によって水の含み具合が変わってしまう）
なので!
水を入れるときは一気にドバッと入れない。少しずつ全体に均一にまわるようにする。
混ぜるときは指を立てて素早く混ぜる。

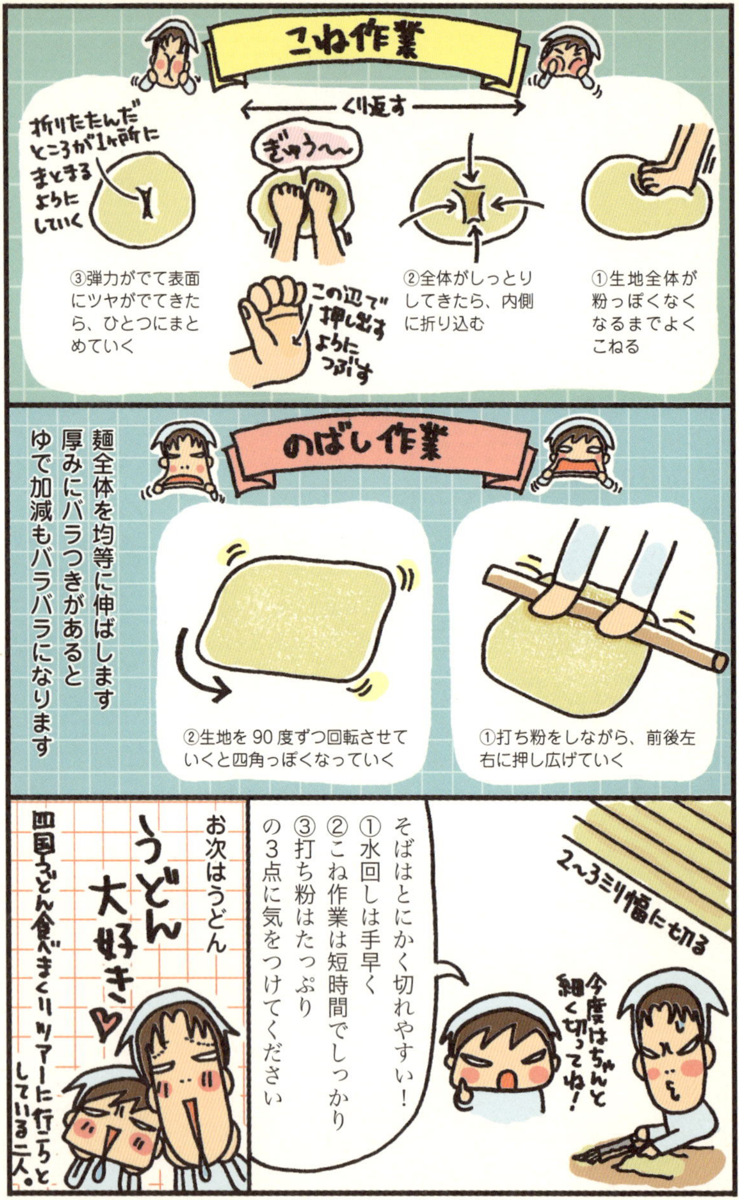

こね作業
くり返す
①生地全体が粉っぽくなくなるまでよくこねる
②全体がしっとりしてきたら、内側に折り込む
ぎゅう〜
この辺で押し出すようにつぶす
③弾力がでて表面にツヤがでてきたら、ひとつにまとめていく
折りたたんだところが1ヶ所にまとまるようにしていく
のばし作業
麺全体を均等に伸ばします
厚みにバラつきがあると
ゆで加減もバラバラになります
①打ち粉をしながら、前後左右に押し広げていく
②生地を 90 度ずつ回転させていくと四角っぽくなっていく
2〜3ミリ幅に切る
今度はちゃんと細く切ってね!
そばはとにかく切れやすい!
①水回しは手早く
②こね作業は短時間でしっかり
③打ち粉はたっぷり
の3点に気をつけてください
お次はうどん
うどん大好き
四国うどん食べまくりツアーに行こうとしている二人。

手打ちうどんのこの足踏み作業はなんだかイケないことをしているようで楽しいよね
ゆんこはゲタぬいでね
ふみふみ
ふみふみ
ただいま～!
チヨピちゃんもやる――!!
平たくなってきたら折りたたんで踏む。この作業を全体がしっとりするまで繰り返します
体重にもよりますが10～15分くらい
キャ
キャ
パシャ
パシャ
のばし方はおそばと一緒です
ちなみに、うどんを打つときに伸びが悪い場合、寝かせる時間を延ばすと良いです
夏：2～3時間
冬：6～12時間
でも寝かしすぎてもボソボソしたうどんになるので注意!!
四国ぶっかけ風にしてみたよ♥
冷やしざるうどんに…
・だし醤油
・大根おろし
・おろししょうが
・すりゴマ
・あさつき・すだち
試食タイム
はぁ
前回のパスタのトラウマがあるからなぁ…
あれ？おいしい！
当然っ！だって全部私が作ったんだモーン！
この姉は…

市販品では味わえない薫り高い一品

ハム

難易度 ★★★☆☆

材料

豚ロースかたまり　800g
玉ねぎ　1/4 個
にんにく　2 片
A ┌ローリエ　1 枚
　│クローブ　小さじ 1/3
　│ローズマリー　小さじ 1/4
　│タイム　小さじ 1/4
　│セージ　小さじ 1/4
　└カルダモン　小さじ 1/4
ピックル液 ┌砂糖　大さじ 1
　　　　　│しょうゆ　大さじ 1
　　　　　│塩　50g
　　　　　└水　400cc
スモークウッド　適量

※入れるハーブ類はお好みで。その他、オレガノやオールスパイスなどを入れても

準備する器具

密封袋 , ボウル , さらしの布 , タコ糸 , スモーカー , 竹串

保存期間

冷蔵で 1 週間 , 冷凍で 2 週間

作り方

1 ピックル液の材料をすべて鍋に入れて火にかけ、沸騰したら弱火にして 5 分ほど煮る

2 豚肉は流水で洗い、水気をよく拭き取ったら、ラップをせずに冷蔵庫に入れ 2～3 時間置き、表面を乾かす。玉ねぎ、にんにくは薄切りにする

3 密封袋に 1、2、A を入れ 5～7 日冷蔵庫に置く。途中、上下をひっくり返して全体に液がいき渡るようにする

4 流水で 3 の豚肉を洗い、ボウルにたっぷりの水とともに入れ、4～5 時間つけて塩抜きする。ボウルの水はできるだけこまめに取り替える。塩抜きの具合は、肉の端を切って焼き、実際に食べて確認するのがベター

5 塩抜きが終わったら水気をしっかりと拭き取り、タコ糸で巻いて棒状に成形する

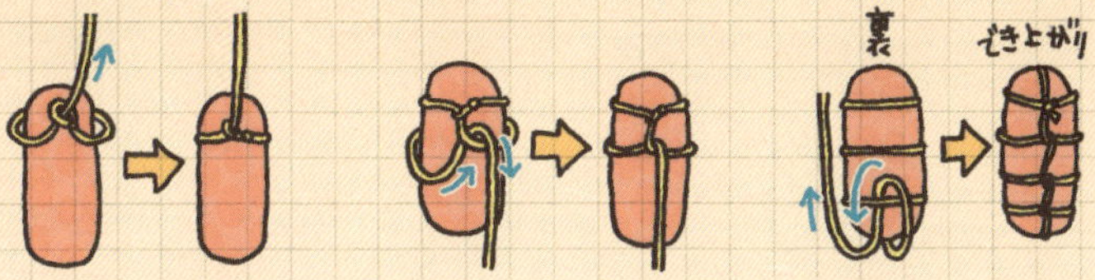

①タコ糸の端で輪っかを作り、肉の片端に通して軽く締める。肉が固くなるのできつく縛りすぎないようにする

②1周巻いたタコ糸を、タコ糸の下からくぐらせる。1～2cm 幅でこれを繰り返す

③最後まで巻き終えたら、裏側から同じようにタコ糸をくぐらせながら巻き始め部分まで戻り固結びする

6 5をさらしの布で包み、その上からタコ糸をクルクル巻く（巻きつけるだけで OK）。両端もタコ糸でしっかりと縛る

7 6をそのまま冷蔵庫に入れ、ひと晩置き、表面を乾かす

8 スモーカーにセットし、内部温度が 70℃前後になるようにして 1 時間ほどスモークする

9 大きめの鍋に湯を沸かし、70℃になったら 8 を入れる。常に 70℃前後を保つようにして 2 時間ほどゆでる。中まで火が通っているかは、肉の中心まで竹串を刺し、肉汁が澄んでいるかどうかで確認

75℃以上になると肉が縮んで固くなるので注意！
温度が下がってきたら火を付け、上がったら火を止めるを繰り返してね。温度が 75℃以上になってしまったら、急いで水を加えて温度を下げて

10 ゆであがったら、さらしの布を巻いたまま、氷水に 30 分ほどさらす

ダンボールを使ったスモーク方法は139ページ参照！

分厚く切って食べたい

ベーコン

難易度 ★★★☆☆

bacon

材料

豚バラ肉　500g
玉ねぎ　1/4個
にんにく　2片
A［ローリエ　1枚
　セージ　小さじ1/4
　黒こしょう　小さじ1
ピックル液［砂糖　大さじ1
　しょうゆ　大さじ1
　塩　50g
　水　400cc
スモークウッド　適量

準備する器具

密封袋，ボウル，スモーカー

保存期間

冷蔵で2週間，冷凍で1ヵ月

作り方

1 ピックル液の材料をすべて鍋に入れて火にかけ、沸騰したら弱火にして5分ほど煮る

2 豚肉は流水で洗い、水気をよく拭き取ったら、ラップをせずに冷蔵庫に入れ2〜3時間置き、表面を乾かす。玉ねぎ、にんにくは薄切りにする

3 密封袋に1、2、Aを入れ2〜3日冷蔵庫に置く。途中、上下をひっくり返して全体に液がいき渡るようにする

4 流水で3の豚肉を洗い、ボウルにたっぷりの水とともに入れ、4〜5時間つけて塩抜きする。ボウルの水はできるだけこまめに取り替える

5 水気をよく拭き取ったら、ラップをせずに冷蔵庫に入れひと晩置く

6 スモーカーにセットし、内部温度が70℃前後になるよう2〜3時間スモークする。食べるときは必ず火を通してから

燻製前に黒こしょう
をまぶしても

パスタやサンドウィッチにぴったり

コンビーフ

難易度 ★★☆☆☆

材料

牛もも肉(塊)　500g
玉ねぎ　1/4 個
にんじん　1/2 本
セロリ　1 本
にんにく　1 片
ローリエ　1 枚
ピックル液
- 砂糖　大さじ 1
- しょうゆ　大さじ 1
- 塩　50g
- 水　400cc

準備する器具

密封袋 , ボウル

保存期間

冷蔵で 2 週間
冷凍で 1 ヵ月

作り方

1 ピックル液の材料をすべて鍋に入れて火にかけ、沸騰したら弱火にして 5 分ほど煮る

2 牛肉は流水で洗い、水気をよく拭き取ったら、ラップをせずに冷蔵庫に入れ 2～3 時間置き、表面を乾かす。玉ねぎ、にんにく、にんじん、セロリは薄切りにする

3 密封袋に 1、2、ローリエを入れ 4～5 日冷蔵庫に置く。途中、上下をひっくり返して全体に液がいき渡るようにする

4 流水で 3 の牛肉を洗い、ボウルにたっぷりの水とともに入れ、4～5 時間つけて塩抜きする。ボウルの水はできるだけこまめに取り替える

5 鍋にたっぷりの水と 4 を入れ 4 時間ほどアクを取りながら弱火で煮込む。水分が少なくなったら、その都度水を足す

6 あら熱が取れたら、繊維に沿ってフォークで身をほぐす。パサつきが気になるときは鍋に牛脂と一緒に入れて火を通す

手作りならではの香ばしさ

スモークサーモン

難易度 ★★☆☆☆

材料

生鮭　300g
玉ねぎ　1/4 個
A ┌ ローリエ　1 枚
　│ タイム　小さじ 1/4
　└ セージ　小さじ 1/4
ピックル液 ┌ 砂糖　大さじ 1
　　　　　│ しょうゆ　大さじ 1
　　　　　│ 塩　50g
　　　　　└ 水　400cc
スモークチップ　適量

※スモークサーモンは生のような食感が特徴ですが、燻製時の衛生管理が難しいため、ここでは火を通す方法を取っています

準備する器具

密封袋 , ボウル , アルミホイル , 深めの鍋

保存期間

冷蔵で 2 週間

作り方

1 ピックル液の材料をすべて鍋に入れて火にかけ、沸騰したら弱火にして 5 分ほど煮る

2 生鮭は水気をよく拭き取り、ラップをせずに冷蔵庫に入れ 2〜3 時間置き、表面を乾かす。玉ねぎは薄切りにする

3 密封袋に 1、2、A を入れ 1 日冷蔵庫に置く。途中、上下をひっくり返して全体に液がいき渡るようにする

4 流水で 3 の鮭を洗い、ボウルにたっぷりの水とともに入れ、3〜4 時間つけて塩抜きする。ボウルの水はできるだけこまめに取り替える

5 水気をよく拭き取ったら、ラップをせずに冷蔵庫に入れひと晩置く

6 深めの鍋（中華鍋など）にアルミホイルを敷き、スモークチップを置いて焼き網をのせる

7 中火にかけ煙がでてきたら鮭の皮を下にしてのせ、ふたをする（ふたがない場合は、アルミホイルを敷いたボウルをかぶせる）

8 弱火にして 20～30 分スモークする

鍋とボウルを使った燻製方法

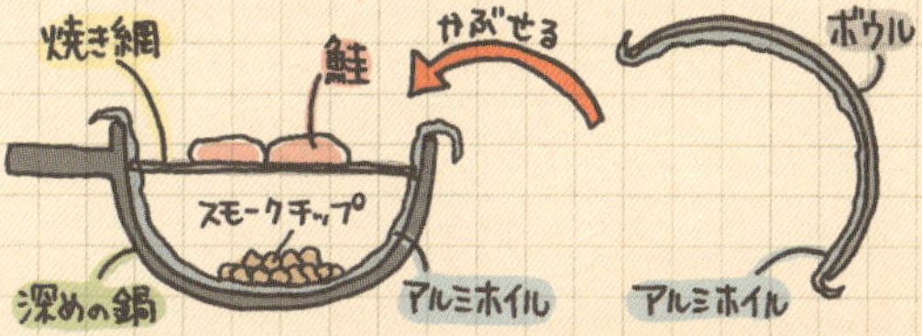

皮なしならこんなに簡単！

ソーセージ

難易度 ★★☆☆☆

材 料 約 15 本分

豚ひき肉　500g
玉ねぎ　1/2 個
にんにく　1 片
卵　1 個
牛乳　100cc
塩　小さじ 2
こしょう　小さじ 1/2
砂糖　小さじ 1
セージ　小さじ 1/2
レモン汁　大さじ 1

※本来ソーセージには羊腸が使われますが、手に入りにくいので羊腸なしで作ります

準備する器具

おろし金，ボウル，アルミホイル

保存期間

冷蔵で 2 日
冷凍で 2 週間

作り方

1 玉ねぎとにんにくはすりおろす

2 ボウルに 1 と残りの材料をすべて入れ、よくこねたら 15 等分する

3 ひとつずつアルミホイルにのせ棒状に成形し、ピッチリと包んで、フライパンで転がしながら中火で 10 分ほど焼く

それは友人とごはんを食べていたときのこと
私最近、お料理ハマっててさー
へ～！何作ってんの？
ピクルスとかジャムとか…いろいろね
ホホッ女らしいでしょ？
ああ、それならボクも作ったことあるよ
簡単だよね～！
カンタン？！
カチンッ
パンも作った！
できたてがうまいよねー
う、梅干しだって…
うんうん定番だよね
そばやうどんも！
麺類はボクも得意！
…お料理マスター？！
く、燻製は作ったことないんじゃない!?ハムとかベーコンとかさ!!
これならどうだ!!
ああ、ないない!!
作れるんだ！すごいね!!
勝った～～!!
と言いつつ私も初めて燻製を作るときはドキドキでした

料理好きでもなかなか手をだしにくい燻製ですが
くん製
材料と場所さえ確保できれば実はそんなに難しくないんです
作りはじめるその前に…
ハムとベーコンってどう違うの?
皮がなくてもソーセージ?
ウィンナーとフランクフルトの違いは?
コーンドミートって?
肉の加工食品についてまとめておきます

ベーコン

本来は豚のバラ肉を塩漬けにし、燻製にしたものを指す。
(Bacon=「豚のバラ肉」というイミも)
現在では、豚バラ肉以外の部位を使用したものもベーコンと呼ぶ。
●生ベーコン(パンチェッタ)
→塩漬け、乾燥のみで燻製しないもの

ハム

本来は豚(猪)のもも肉を塊のまま塩漬けしたものを指す。
(Ham =「豚のもも肉」というイミも)
現在では、豚もも肉以外の種類、部位を使用したものもハムと呼ぶ。多くは燻製にする。
●生ハム(プロシュット)
→塩漬け、乾燥のみで燻製しないもの

コンビーフ

本来のイミは、corned =塩漬けした beef =牛肉。
日本では一般的に、塩漬けした牛肉を加熱してほぐし、牛脂で固めたものを指す。
●コーンドミート
→牛肉以外を使ったもの
●ニューコーンドミート
→牛肉と馬肉を使ったもの

ソーセージ

鳥獣類のひき肉などを、塩や香辛料で調味したものを指す。原料、製法に様々な種類があり、日本では「腸詰め」と訳されているが、成形のみで腸詰めされていないものもある。
●ウィンナーソーセージ
→羊腸使用、又は太さ 20mm未満
●フランクフルトソーセージ
→豚腸使用。20 ~ 36mm

いざ燻製作り人!
次のページから

※日本国内での規準

燻製とは？

木材を熱したときにでる煙に当てて、香りをつけた加工食品のこと

日持ちしない食材を長期保存するために作り出された技術

燻製方法には3つの種類があります

熱燻	温燻	冷燻
80℃以上で燻製（120～140℃がやりやすい）	30～80℃で燻製（50～80℃が好ましい）	15～30℃で燻製（平均25℃程度）
10分～数時間	数時間～1日	1週間以上
食材をあぶりながらいぶす方法	食材の水分を飛ばしながらいぶす方法	熱を加えずに燻煙だけで仕上げる方法
深めの鍋（中華鍋等）で代用するのはこの方法	ここで紹介するのはこの方法	初心者には温度管理が難しい

燻製作りに必要なものは…

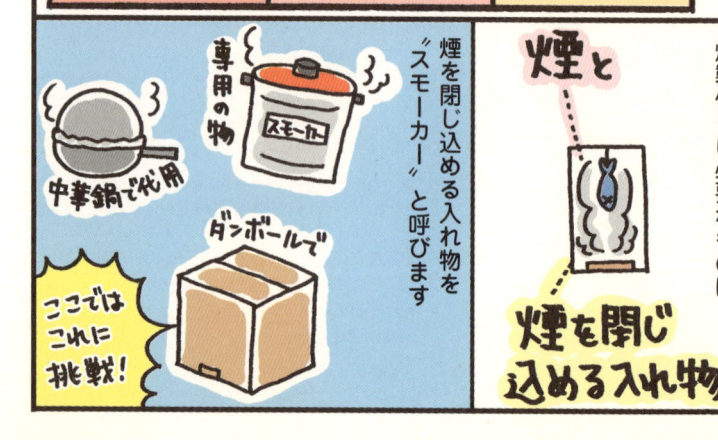

煙と
煙を閉じ込める入れ物

煙を閉じ込める入れ物を〝スモーカー〟と呼びます

専用の物
スモーカー
中華鍋で代用
ダンボールで
ここではこれに挑戦！

スモークウッド

木を細かく砕いたのち、棒状に固めたもの。一度火をつけると、長時間煙をだしつづける。お線香のような使い方で初心者には扱いやすい。折ったり、つなげたりすることで、時間調整可能。長時間、大きいスモーカー向き。温燻向き（冷燻も可）

スモークチップ

木を細かく砕いたもの。受け皿などに入れ、下から加熱して煙を発生させる。長時間いぶすには、チップを何度もつぎ足さなければならない。短時間、小さいスモーカー向き。熱燻向き（温燻も可）

主な木材の種類

サクラ…香りが強い。豚や羊、さんまなどクセが強い食材ともよくなじむ
ヒッコリー…欧米では最も一般的。香り高く、ベーコンやハムに最適
クルミ…香りにクセがないので、肉や魚など幅広く使用可能
りんご…甘い香りで、マイルドな仕上がり。鶏肉や白身魚など淡泊なものと相性○

ダンボールで簡単スモーカー作り

割箸を四隅にさす
網は半分より少し上の高さに

材料

大きめのダンボール
大きめの焼き網
割り箸　2膳
ガムテープ

① 焼き網に合わせて、ダンボールを切って四角柱を作る
② ダンボールの底を切り取り、下部に小窓をつける（空気穴）
③ ダンボールの四隅に、割り箸を刺して焼き網をのせる

食材は何でも！

ゆで卵
うずら
チーズ
かまぼこ
タラコ
カニカマ
ソーセージ
タコ（下ゆでする）
ささみ（下ゆでする）
etc…

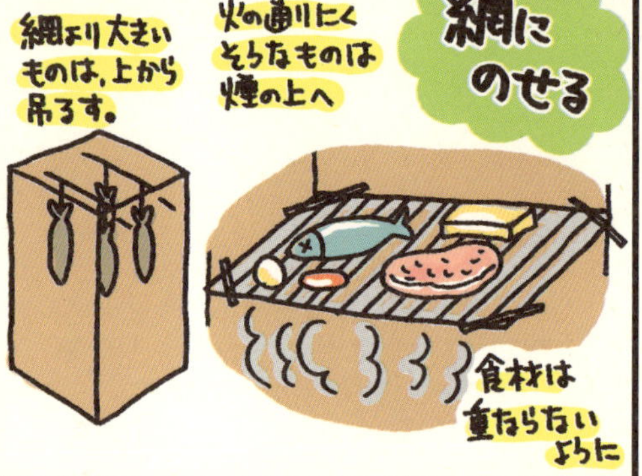
網より大きいものは、上から吊るす。
火の通りにくそうなものは煙の上へ
網にのせる
食材は重ならないように

☆スモークウッドの使い方☆

石で重石

材料

スモークウッド
火をつけるもの（ライターなど）
焼き網（中）
アルミホイル
石

①スモークウッドに
火をつける

②炎を消し、煙だけに
なっていることを確認

アルミ
石
網

③イラストのようにして
スモーカー内にセット

スモークウッドをのせるものは
アルミ皿でもOK！石をおいて
地面が焼けないようにしよう！

燻製時の注意事項

1 火事にならないように
2 ご近所迷惑にならないように
3 禁止区域でやらないように

BBQやキャンプのときにぜひチャレンジしてみてほしいのですが…
正直言ってそんな機会はなかなかありませんよね
そんなときは次の方法でも作れちゃいます
燻製いらず 簡単 鶏ハムの作り方
① 鶏胸肉1枚に砂糖、塩を小さじ各1まぶし、密封袋に入れる
お好みで黒コショウや、タイム、ローズマリーなどのハーブ類をまぶしても
② 冷蔵庫で2日ほど寝かせた後、流水でよく洗い、水を張ったボウルにひたして1～2時間置く
塩抜き
③ 鍋に鶏肉とたっぷりの水を入れて中火にかけ、沸騰したら煮立たない程度の弱火にして5分ほどゆでる
④ 火を止め、半日ほど自然に冷めるまで鍋に入れたまま置いておけば完成！（※腐りやすい夏の間は2～3時間で鍋からだす）
また、本来は温燻で作るハムやベーコンですが
中華鍋でできる熱燻で作ってもOKです（燻製方法以外は同じ）
手作りの燻製品は絶品！一度試すと病みつきになっちゃいますよ
手頃なダンボールないかな～

うま味をギュッと凝縮させた

あじの干物

難易度 ★☆☆☆☆

aji-no-himono

材料

あじ　4尾
塩　大さじ2
水　400cc
ナンプラー　お好みで

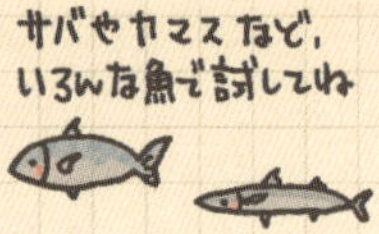
サバやカマスなど、
いろんな魚で試してね

※ナンプラーの代わりにしょっつるやニョクマムでも

準備する器具

バット，ザル

保存期間

冷蔵で1週間，冷凍で2週間

作り方

1　あじは腹開きにする

①エラの下あたりから尾まで包丁を入れ、切り離さないように中骨に沿って開く

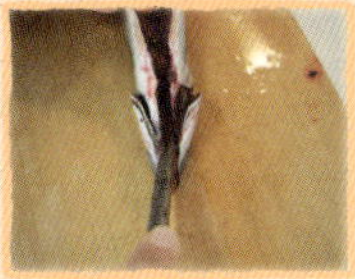

②腹側から頭を割る。ここでも完全に切り離さないようにする

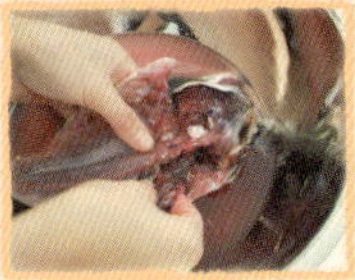

③内臓を取り除き、水を張ったボウルの中で洗う

2　流水で1を洗って水気をよく拭き取る

室温が高いときは冷蔵庫に入れて

3　バットに水、塩を入れよく溶かし、2を漬け込んで2時間ほど置く。途中で裏返す

4　水気をよく拭き取って、お好みでナンプラーを表面に薄くぬる

5　4をザルに重ならないように並べ、風通しの良い場所で5～6時間天日干しをする。途中で裏返して

脂のノったさんまで作りたい

さんまのみりん干し

難易度 ★☆☆☆☆

材料

さんま　4尾
塩　小さじ1
しょうゆ　50cc
みりん　100cc
白ごま　適量

準備する器具

バット，ザル

保存期間

冷蔵で1週間
冷凍で2週間

作り方

1 さんまは背開きにする。背側の頭のつけ根に包丁を入れ、中骨に沿って尾まで開き、内臓を取り除く。腹開きでもOK

2 流水で1を洗って水気をよく拭き取る

3 塩をふって30分ほど置き、再び流水で洗って水気をよく拭き取る

4 バットにしょうゆとみりんを入れて3を漬け込んで3時間ほど置く。途中で裏返す

5 4の水気を拭いてザルに重ならないように並べ、風通しの良い場所で5～6時間天日干しをする。途中で裏返して。お好みで白ごまをふる

干物を使ったレシピ

焼きたてをそのまま食べるのもおいしいですが、その他にもこんな食べ方があります

雑炊に、焼いてほぐした身を混ぜて

いつもの酢の物に、焼いてほぐした身を一緒に混ぜて

白ごはんに焼いてほぐした身、刻んだ大葉や白ごまなどを混ぜて

サッとあぶって召しあがれ

いかの一夜干し・するめ

難易度 ★☆☆☆☆

材料

いか　2杯
塩　大さじ2
酒　大さじ2

保存期間

冷蔵で3日

準備する器具

ザル,(竹串)

作り方

1 いかは下処理をする

①内臓を傷つけないように頭から足のつけ根まで包丁を入れ切り開く

②内臓をゆっくり引っ張りながらはがす。スミ袋を破らないように

③くちばし(足のつけ根にある)と目は、押しだすようにして取りだす

イカの裾の部分に、竹串を差してから干すと身がよじれない

2 流水で洗い、よく水気を拭き取る

3 塩と酒をよく混ぜ合わせ、いか全体に手でぬり込み10分ほど置く

4 流水で軽く塩を洗い流し、よく水気を拭き取る

5 いかをザルに広げ、風通しの良い場所で5～6時間天日干しをする。途中で裏返して

これが一夜干しです!

6 するめにする場合はさらに、3～5日干しつづける。夕方以降は室内に取り込んで

お酒のおつまみにもどうぞ

ビーフジャーキー

難易度 ★☆☆☆☆

材料

牛肉(薄切り)　400g
しょうゆ　大さじ4
みりん　大さじ1
にんにく　1片
しょうが　1かけ
塩・こしょう　適量
一味唐辛子　お好みで

※牛肉は、脂身のない部位が向いています。
塊肉を使う場合は2～3mmにスライスする

beef jerky

準備する器具

密封袋,洗濯用ピンチ,
アルミホイル,おろし金

保存期間

冷蔵で1週間

作り方

1 にんにくとしょうがはすりおろし、しょうゆ、みりんとよく混ぜ合わせる

2 牛肉は脂身部分を取り除く

脂身は酸化して
味を悪くするので
できるだけ
取り除いて

3 密封袋に1と2を入れ、6～8時間冷蔵庫に置く

4 タレをよく拭き取って、塩・こしょうを全体に、お好みで一味唐辛子をふる

5 牛肉をはさむ部分にアルミホイルを巻き、洗濯用ピンチに1枚ずつ吊るす

6 風通しの良い涼しいところで2～3日陰干しする。途中で2、3回はさむ場所を変えて

乾燥中に異臭がしたりカビが生えた場合は失敗…。
残念ですが、ぜんぶ捨ててください。食品用の消毒スプレーを毎日しておくと腐敗が防げます

失敗…

煮干し	調味干し	塩干し	素干し
煮てから干す	調味料で味つけしてから干す	塩をして干す	そのまま干す
いったん煮てから干したもの。だし取り用のイリコは片口イワシで作った煮干	みりん干しが代表。みりんやしょうゆは魚臭さを消す効果がある	塩をしてから干したもの。最もポピュラーな干物	生のまま、塩もせずにそのまま干したもの

干物を作るときは、作りはじめる時間に気をつけよう!
魚をさばくのに 約30分
漬け込むのに 2～3時間
天日干しに 5～6時間
※時間は目安。魚の大きさによっても違うので様子を見つつ干してね!
18時に食べたければ8～10時には作業開始!
干すのに適した時間
・日射しの弱い朝や夕方なら天日で干す
・日射しの強い日中なら日陰で干す
直射日光に当たると魚が傷んでしまうことがあるので気をつけて!!
また、風通しも大事なポイント!
風通しが良くなるよう工夫して干そう☆
洗たく物干しで干したり…
アジなどの小型魚向き。大きい魚だと形がくずれることが多い
ザルの下にレンガを置いたり…
タオルスタンドの上に置いたり…
猫や鳥、ハエなどが気になる人は…
専用の干物ネットや…
網やネットなどを利用して!
※目の細かいものだと風通しが悪くなるので注意!
そしておいしく干物を焼くには
グリルや焼き網はしっかり加熱しておく!
皮が網からはがれやすくなります
焼く時は皮から!
水分が蒸発しやすく、旨みを閉じこめる
白くなってきたら裏返す
できあがりがたのしみ☆
しかもイカくさ～い…
あのぅ洗濯物を干すスペースないんですけど…

イワシが高級食材に変身！

アンチョビ・ナンプラー

難易度 ★★☆☆☆

材料

片口イワシ　適量
塩　イワシに対して25%程度
オリーブオイル　適量
ローリエ　お好みで１枚
黒こしょう（粒）　お好みで３粒前後

※片口イワシが手に入らない場合は、真イワシでも。
下処理の段階で適当な大きさに切って

anchovy & Num pla

準備する器具

保存容器，ザル

保存期間

冷蔵で１年

作り方

1 包丁の刃でイワシの腹をなで、うろこを取る

2 頭と内臓を取る。頭の2/3くらいまで包丁を入れてから引っ張ると、内臓がでてくる

3 流水で洗ってから３枚おろしにし、骨と尻尾を取る

①腹が手前にくるように置き、中骨に沿って尾まで包丁を入れ、上身を切り離す

②中骨がついた方は、背が手前にくるように置き、①と同様包丁を入れ、身を切り離す

大きめの魚を３枚おろしにするときは、一気に身を切り離さず、腹側と背側、それぞれ深く切り込みを入れてから、中骨に沿って切り離すことが多いよ

4 流水で洗ってザルにあげ、水気をよく拭き取る

5 イワシにまんべんなく塩をまぶす

6 塩を敷いた保存容器にイワシを並び入れ、塩をまぶす。さらにイワシ、塩と重ねていく

7 最後にイワシが見えなくなるくらいの塩をまぶしてふたをし、冷蔵庫で１ヵ月保存。その間、ふたは開けないように

8 １ヵ月後、イワシを水洗いしてザルにあげる。保存容器に溜まっている液体がナンプラー。こしてから料理に使う

9 細かい中骨を取り除いて水気を拭き取る

10 保存容器にイワシ、お好みでローリエ、黒こしょう（粒）を入れ、イワシが完全につかるまでオリーブオイルをそそいで、冷蔵庫に保存する。２週間後くらいから食べられるが、半年以上熟成させた方がおいしい

おにぎりやそぼろ丼で大活躍

鮭フレーク

難易度 ★☆☆☆☆

材料

生鮭　２切
酒　大さじ１
和風だし　大さじ３
塩　小さじ１
白ごま　お好みで

※塩鮭を使う場合は、塩の量を加減する

準備する器具

耐熱容器

保存期間

冷蔵で１週間
冷凍で２週間

作り方

1 耐熱容器に鮭をのせ、酒を全体にふってラップをかけ、レンジで４分（500W）ほど加熱する

2 皮と骨を取り除き、細かく身をほぐす

3 鍋に 2、和風だし、塩を入れ、汁気がなくなるまで弱火でよくいる。お好みで白ごまをふる

お手頃なマグロを見つけたら！

ツナ

難易度 ★☆☆☆☆

保存期間

冷蔵で５日

材料

マグロ　200g
玉ねぎ　1/2 個
しょうが　1/2 かけ
ローリエ　１枚
水　200cc
コンソメ　5g
オリーブオイル　100cc
塩・こしょう　少々

作り方

1 マグロは 2〜3cm 幅に切り、3％の塩水（分量外）に１時間ほどひたす。こうすることで生臭さが取れる

2 １を流水で洗い、水気をよく拭き取る

3 玉ねぎはくし切り、しょうがは薄切りにする

4 鍋に 3、ローリエ、水を入れ中火にかけ、沸騰したら弱火にしてアクを取りながら 15 分ほど煮出す

5 2、コンソメ、オリーブオイルを加えたら中火にし、ひと煮たちしたら弱火にして 10 分ほど煮る

6 火を止め、マグロ以外の固形物を取りだしてフォークで身をほぐし、塩・こしょうで味を調える。半日ほど冷蔵庫に置き味をなじませる

ノンオイルのツナにしたい場合は、オリーブオイルを水に差し替えます。（水を 300cc にする）ただし、油漬けよりも日持ちがしないので、2〜3 日で食べ切るようにして

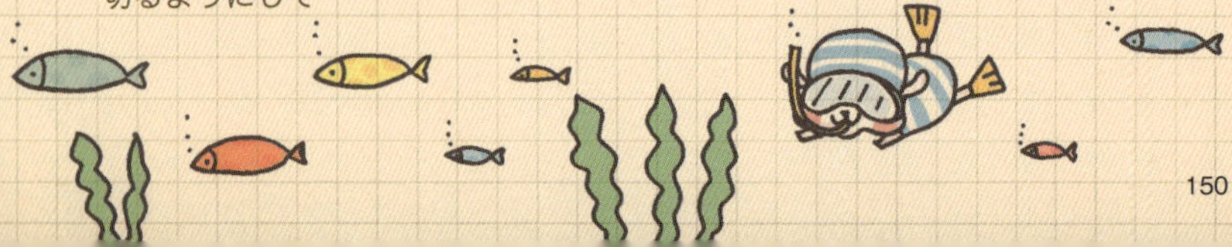

娘は最近、魚に夢中だ
♫サカナ サカナ～♫
前回の干物でハマったらしい
ファックス来てたよ～
ちょっと魚買いに行ってくる～
夢中になると他のことが見えなくなる〝こり性B型〟
他全部放置
だけど私は何も言わない
なぜなら おいしいものが 食べられるからね
30分後
ただいま～ 安売り してた!!
今日は 何を作んの?
アンチョビ でーす
アンチョビとは…
アンチョビ（英 anchovy）は、魚類ニシン目片口イワシ科の小魚の総称。日本では特に塩蔵品にしたものを指すことが多い
塩蔵品にはいくつかの種類があります
フィレタイプ
ペーストタイプ
ロールタイプ
ケッパー
家庭で作りやすいのはフィレタイプ!

今でこそアンチョビは人気がありますが、その昔は違ったようです
アンチョビ初めて物語
当時、今で言う魚醤のようなものが大人気でした
舞台：古代ローマ
魔法の液体?!
んまッ!!
ズーッ
その液体をかけるだけで美味しさ倍増！栄養価も高かった。
その液体を作るときの副産物が…
アンチョビだった!!
←メインこっち
当時はこの液体の方がメインだったので、アンチョビはしぼりカス扱い…
魔法の液体使いたい～!!
でもこれも栄養があるのよ…
んまッ!!
でもこれはこれで貧しい人達や下級兵士に食べられていた。
それが時代の流れとともに今のアンチョビとなったとか
一つ勉強になったネ！
母
ねぇちょっとアンチョビはまだ作んないの？
まあちょっとお待ちなさい。まだ伝えたいことがあるのです
これあげるから大人しくしててね
ブーブー

アンチョビは刻んでソースにし肉や魚料理にかけるととってもオイシイ！
ソースの作り方①
・アンチョビ(みじん切り) 10g
・ニンニク(みじん切り) 1片
・マヨネーズ 大さじ3
…を混ぜ、レモン・塩コショウで味をととのえる。
ソースの作り方②
・アンチョビ(みじん切り) 10g
・ニンニク(みじん切り) 1片
・オリーブオイル 大さじ3
…を混ぜ、塩・コショウで味をととのえる。
そのほかパスタやピザにもピッタリです
アンチョビ・ニンニク・キャベツでシンプルに！
トマトソースにアンチョビとチーズをのせて♪
ただし塩辛いので使う量には気をつけてね！
むぎゅ〜
ねえまだなの〜？オナカすいたよ!!
あれっ？言ってなかった？
アンチョビは作ってすぐには食べられないよ
ガーン
たのしみにしてたのにっ！

お酢をスッキリ飲みやすく
りんご酢

難易度 ★☆☆☆☆

材料

りんご　2個
酢(黒酢)　500cc
氷砂糖(ハチミツ・白砂糖)　400g

準備する器具

保存瓶(2ℓ用)

保存期間

冷蔵で1年

apple vinegar

作り方

1 りんごは皮をむかずに、ていねいに水洗いしてから水気をよく拭き取り、8等分に切って芯を取り除く

2 消毒した保存瓶に、りんごと氷砂糖を交互に入れ、最後に酢をそそぐ

3 密閉して冷暗所に2週間ほど置いたら、りんごを取りだす

さわやかな香りが鼻を抜ける
りんご酒

難易度 ★☆☆☆☆

材料

りんご　5個
レモン　3個
氷砂糖　300g
ホワイトリカー　1.8ℓ

準備する器具

保存瓶(4ℓ用)

apple cider

保存期間

冷暗所に保存
※基本的に悪くならない

作り方

1 りんごは皮をむかずに、ていねい水洗いしてから水気をよく拭き取り、8等分に切って芯を取り除く。レモンは皮を厚めにむき、6〜7mmの輪切りにする

2 消毒した保存瓶に、りんご、氷砂糖、レモンの順に一段ずつ詰めていき、最後にホワイトリカーをそそぐ

3 密閉して冷暗所に置く。2ヵ月後にレモン、半年後にりんごを取りだす。3ヵ月後から飲めるが半年以上置いた方がおいしい

ホッとひと息つきたいときに

ロイヤルミルクティ

難易度 ★☆☆☆☆

材料　約2杯分

牛乳　200cc
水　200cc
茶葉　ティースプーン 2〜3 杯
砂糖(ハチミツ)　適量

※牛乳は低脂肪乳は避ける。また生クリームを少量入れてもおいしい

準備する器具

茶こし

royal milk tea

作り方

1 鍋に水を入れ、沸騰したら火を止めて茶葉を入れる。ふたをして3分蒸らす

2 牛乳を加え強火にかけ、沸騰直前に火を止める。茶こしでこしながらカップにそそぎ、砂糖を加える

カレーとの相性もバッチリ！

マサラチャイ

難易度 ★☆☆☆☆

材料　約2杯分

牛乳　200cc
水　200cc
茶葉　ティースプーン 2〜3 杯
A ┌カルダモン　小さじ 1/4
　 │シナモン　小さじ 1/4
　 │クローブ　小さじ 1/4
　 └しょうが　すりおろし小さじ 1/4
砂糖(ハチミツ)　適量

準備する器具

茶こし

masala chai

作り方

1 鍋に水、茶葉、Aを入れ、沸騰したら弱火で3分ほど煮出す

2 牛乳を加え強火にかけ、沸騰したらいったん火を止め、30秒ほど置いたら再び強火で沸騰させる。茶こしでこしながらカップにそそぎ、砂糖を加える

ロイヤルミルクティは紅茶の香りを楽しむために、良い茶葉を使うようにします。また渋みがでるので、煮出さないように。それに対しマサラチャイは、本場インドを見習い、安価な茶葉を使って、スパイスと一緒にグツグツと煮出します。どちらも、ミルクとの相性が良いアッサムがオススメ

徹夜つづきだったある夜…
づがれだ…
キー!!
部屋汚いしッ
も〜ぜんぶやだ〜!!
ぐちゃ…
↑寝不足で気が立っている
どうしたの？
もうムリ…
ふーらあ…
少し休めば？部屋なら私が片づけておくし
たたみっ
!? えええ！どうしたの？頭でも打った!?
それとも…熱!?
そんなやさしいなんておかしい!!
頭は打っていません。
妹が困っているんだもの…当然よ。ささっ、ロイヤルミルクティでも飲みなさい
ふわぁまるで天女様…!?
はぁ…なんか落ち着いてきたよ
そう、それは良かったワ

やだっ！ 体がガッチガッチじゃない！
モミ
モミ
今度、今うちで作ってるりんご酢を送るから飲んでみて！疲労回復にもいいから
うう…ありがとう。今まで誤解しててごめんなさい
天女さま…
わかれば良いのです
それから数日後
ピンポーン
宅配便でーす
は〜い
あっ！ この前言ってたりんご酢だ！
りんご酢
・冷たい水で4〜5倍に薄めて
・酢の物に
・牛乳で割るとヨーグルトのよう！
わーい じゃあ早速いただき！
ゴクリ
自分でも驚くほど同じ手に何度も引っかかります…
ぎゃ〜〜ッ
激辛ジュースだった…
なんてだましやすい妹…
ニヤリ

しょうゆの焦げた香りがたまらない

せんべい

難易度 ★★★★☆

材料 約10枚分

米粉　100g
水　70cc
しょうゆ　大さじ2
みりん　大さじ2

準備する器具

ボウル，すりこぎ，ザル

作り方

1 ボウルに米粉と水を入れ、粉っぽさがなくなるまでよくこねる

2 1を5等分し、それぞれ棒状に成形する

3 2を蒸し器に入れ、中火で20分ほど蒸す

4 3をボウルに入れ、再度ひとつにまとめて、すりこぎでよくつく

5 耳たぶくらいの柔らかさになったら水を張ったボウルに入れ、3分ほどさらす

6 生地を水からあげ、ベタつかなくなるまで手でこねる（約5分）

7 生地を10等分し、厚みが2mm程度になるように、それぞれ丸く伸ばす

8 7をザルに広げ、ひび割れるまで5～7日陰干しする。途中で何度か裏返して

9 8を天板に並べ入れ、50～60℃に予熱したオーブンで1時間加熱する。この工程を踏むことで、残っている水分が飛び、適度な固さのせんべいに仕上がる

オーブンに低温設定がない場合は、大きい金属製のザルをコンロ口にかぶせ、その上に焼き網を置いて生地を乗せ、とろ火で焼き色がつかないように、1時間ほど加熱。やけどには十分気をつけて！

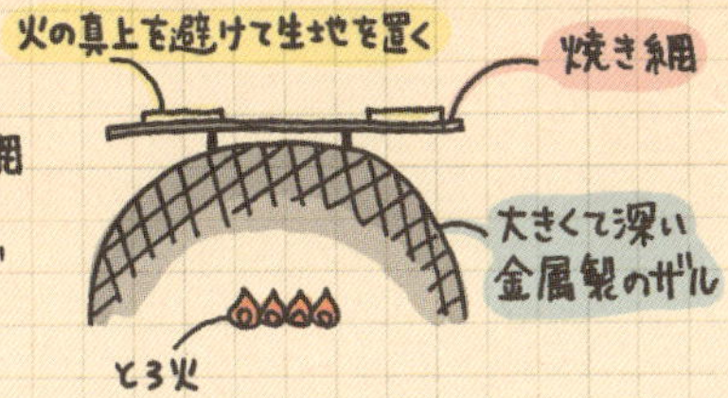

火の真上を避けて生地を置く
焼き網
大きくて深い金属製のザル
とろ火

10 しょうゆとみりんを合わせ、タレを作る

11 9をオーブントースターなどで両面がこんがりするまで焼く

12 10のタレにくぐらせ、再度オーブントースターで軽くあぶる

shrimp crackers

干しえびの香ばしさが際立つ

えびせんべい

難易度 ★★☆☆☆

材料 約15枚分

干しえび　10g
小麦粉　100g
砂糖　大さじ2
塩　小さじ1/2
和風だし(水)　50cc

作り方

1 ボウルにすべての材料を入れ、よくこねる

2 1の生地を直径3cm程度の棒状に成形し、ラップで包んで室温で1時間ほど休ませる

干しえびは、そのままでも細かく刻んでも

3 2を5mm程度に切って、手で押しつぶしながら2mm程度の厚みになるよう丸く伸ばす

4 170℃の油できつね色になるまでカラッと揚げる

揚げたてのサクサクを味わって！

あられ

難易度 ★☆☆☆☆

材料

餅　適量
塩　適量

準備する器具

ザル

作り方

1 餅は1cm角に切り、ザルに広げる

2 ひびが入ってカラカラになるまで5〜7日陰干しする。途中、何度か裏返して。完全に乾き切らないと、揚げているときに油がハネるので注意

3 180℃の油できつね色になるまでカラッと揚げ、熱いうちに塩をふる

添加物が入っていないまっすぐな味

ポテトチップス

難易度 ★☆☆☆☆

材料

じゃがいも　適量
塩　適量

作り方

1 じゃがいもは皮をむき、1mm程度に薄くスライスして、水にさらす

2 水を何度か取り替えて、でんぷんを洗い流す

3 水気をよく拭き取り、170℃の油できつね色になるまでカラッと揚げ、熱いうちに塩をふる

塩以外にもコンソメ味（コンソメを細かく刻んでパウダー状にする）、カレー味（カレー粉）、青のり味（青のりと塩）、コーンポタージュ味（市販のコーンポタージュの素）、ガーリック味（ガーリックパウダー）など、いろいろアレンジを楽しんで

最近のチヨピはつれない。
電話をしても——
なぁんだ
まめこしぇんしぇー
かチヨピちゃん
今パンパンマン
見てんの
(↓だから電話切り)
ガンッ
その理由は…
まり〇っこり
コミからもらったその人形をいたく気に入ったチヨピ
コミが余計なものあげるから〜〜〜!
スリ
スリ
それ以来、私の人気はガタ落ちなのだった…
1 父・母
2 パンパンマン
3 まり〇っこり
以下 雑多——
せめて3位に〜
こうなったらチヨピの大好き
おせんべ作って
I ♥ チヨピ
人気回復大作戦!!
とは言え
おせんべいは見た目より
時間と手間がかかります
素朴な味わいの裏には
細かい仕事が
特に50〜60℃で生地を温める工程
は焼き色がつかないよう
気をつけなければならず
ちょっと大変
じぃっ

でも、面倒がってこの工程を飛ばすと
うぐぐ…
歯の方が欠けてしまうんじゃないかというくらい固いせんべいができあがります
これは、天日干しだけでは飛ばし切れなかった水分が残っているのが原因
水
50〜60℃で温めることでわずかに残っている水分が蒸発し適度に固いせんべいになるというわけです
そんなに手間はかけられないという人のためにごはんで作るおせんべいも紹介!

余ったごはんde簡単おせんべい♪

材料

A
- ごはん 150g（お茶碗1杯分位）
- 片栗粉 大さじ2
- 塩 小さじ1

タレ
- しょうゆ 大さじ2
- みりん 大さじ2

（作り方）

① ボウルにAを入れ、すりこぎなどでつぶす
② 何等分かに分け、それぞれ厚み2mm程度に丸く伸ばす。ラップにはさんでやるとラクチン！
③ 表面が乾いて手にくっつかなくなるまで、レンジで両面を各2分（500W）前後加熱する
※ 途中でふくらんだ場合は手で押さえて空気を抜く
④ オーブントースターなどで両面がこんがりするまで焼く
⑤ タレにくぐらせ、再度オーブントースターで軽く焼く

せんべいの味付けアレンジ
のり巻き
しょうゆせんべいに
のりを
ひと巻きして
七味唐辛子
しょうゆせんべいに
七味唐辛子を
まぶして
ザラメ
しょうゆせんべいに
ザラメを
まぶして
味噌
味噌、砂糖、みりん
を合わせたタレを
からめて
あ、チヨピ？
またまめこしぇんしぇー…なにかごよう？
あ、え、あの…まり○っこりがチヨピとお話したいんだって
えっ!? まり○っこりが？
はじめまして まり○っこりです まめこしぇんしぇいと おせんべいを作ったから 今持っていくね
キャー！
声のトーンを変えている
でもボクは忙しいから まめこしぇんしぇいが 持っていくね
え〜っやだ!! まめこしぇんしぇー じゃなくて まり○っこりがいい…
ぶん
ぶん
傷は深まる一方です…
何泣いてんの？
ゔぅ…

冬

漬け物や干し物など
保存食を作るのにうってつけの季節

winter

手間をかける価値のあるおいしさ

味噌

難易度 ★★★★☆

miso

手前：米味噌　奥：麦味噌

保存期間

味噌は保存食で、腐ることはほとんどない。年月とともに熟成が進んで色も濃くなりコクが生まれる

材料　約 3.5kg 分

大豆　1kg
米麹（乾燥）　1kg
塩　450g
大豆の煮汁　200～300cc

※生の麹は手に入りにくく、保存もあまりきかないので、ここでは乾燥タイプを使用。大きめのスーパーなどで取り扱っている

準備する器具

ボウル，ザル，すり鉢，保存容器，布巾，大きめのビニール袋，落としぶた，重石

作り方

1 大豆は流水でザッと洗ってボウルに入れ、たっぷりの水にひたしてひと晩置く

2 一度大豆をザルにあげて流水でザッと洗い、再度鍋に戻す。水をたっぷり入れ、アクを取りながら大豆が柔らかくなるまで 4～5 時間煮る。途中で水が少なくなったら、その都度足す

指で軽くつまんでみて
簡単につぶれるくらい
まで煮る
むにっ

3 大豆を煮ている間に、麹と塩をボウルに入れてよくもみながら、混ぜ合わせる

4 大豆が柔らかく煮えたらザルにあげ、水気を切る。このとき、煮汁は捨てずに取っておくようにする

5 大豆が熱いうちに、すり鉢などで細かくすりつぶす。よくすりつぶせば、口当たりがなめらかな味噌に、粗めにつぶせば、大豆の粒が残ったワイルドな味噌になる

6 大きいボウルや鍋などに３と５を入れてよく混ぜ、全体がしっとりするまで少しずつ４の煮汁を加える

目安の柔らかさは
ハンバーグの
タネ

7 ６を手のひらにおさまる程度の大きさに丸くまとめる

8 ７を消毒した保存容器にたたきつけ、空気を抜きながら詰めていく。空気が残っているとカビやすくなるので注意

9 隙間なく入れ終えたら表面を平らにならし、ラップをピッチリとはりつける

10 さらに布巾を敷き、塩（分量外）を布巾が見えなくなるまでまんべんなくふる

11 ビニール袋に入れた落としぶたをのせ、2kg 程度の重石をして全体をビニール袋ですっぽりおおう

12 風通しが良く、直射日光が当たらない場所に置く。2〜4 ヵ月すると、上澄みの液がでてくる。これが「たまり」。うま味が詰まっているので、かき混ぜて全体になじませる。再度ラップ、布巾、塩、落としぶた、ビニール袋をして、数ヵ月間熟成させる

レシピの味噌の塩分は 11.5% 前後です。市販の味噌には減塩タイプがありますが、家庭で作る場合は塩分 10%を切るとカビのリスクが高くなるのでオススメしません。塩分を調整したい場合は、次の計算式で塩の量をだします

$$\text{塩の量}=\frac{\text{設定塩分}\times(\text{煮たあとの大豆の重さ}+\text{麹の重さ}+\text{加えた煮汁の重さ})}{100-\text{設定塩分}}$$

※1 大豆 1kg は煮ると約 2.2〜2.3kg になる　※2 設定塩分は%、重さは g で計算する

それは昨年の1月のこと
宣誓!
私はこれから1年かけてお味噌を作りたいと思います
何…どうしたの突然?
ちょっといいことを思いついちゃってさ!
ウププププ!!

まずはお味噌の種類をご紹介!

	米味噌	麦味噌	豆味噌
特徴	生産量の８割を占める。使いやすく一般的。配合の差によって、様々な味となる	独特の甘みがある。麦麹の食感がある	渋みやうまみがあり、とても濃厚
材料	大豆・米麹・塩	大豆・麦麹・塩	大豆・豆麹・塩
種類	赤 →赤味噌（辛口）、江戸味噌（甘） 淡色 →信州味噌（辛口） 白 →白味噌（甘）、西京味噌（甘）	麦味噌（甘口・辛口）。九州味噌、田舎味噌とも呼ぶ	豆味噌 八丁味噌

味噌の甘さ
辛口＜甘口＜甘

味噌というものはとても繊細。ちょっとした違いでできあがりが変わります
材料の割合は?
仕込み時期は?
ここではレシピで説明しきれなかった部分を補足するのでぜひおいしいお味噌を作ってみてください
Let's お味噌作り!

大豆・麹・塩の割合で味が変わる

一般的な割合

大豆		麹		食塩
1	：	1〜1.5	：	0.4〜0.5

大豆の割合が多いと→味が濃厚に
麹の割合が多いと→甘めの味噌に
塩の割合が多いと→カビが生えにくい

大豆・麹・塩の割合で熟成期間が変わる

熟成期間を短くするために、食塩を減らしすぎたり、種水を多くしすぎたりすると、酸味のでる原因となります

カビの生えるリスクも高くなる

短	・麹の割合が多いとき ・種水の割合が多いとき ・食塩の割合が少ないとき
長	・大豆の割合が多いとき ・種水の割合が少ないとき ・食塩の割合が多いとき

※種水＝大豆の煮汁

仕込み時期によって熟成期間も変わる

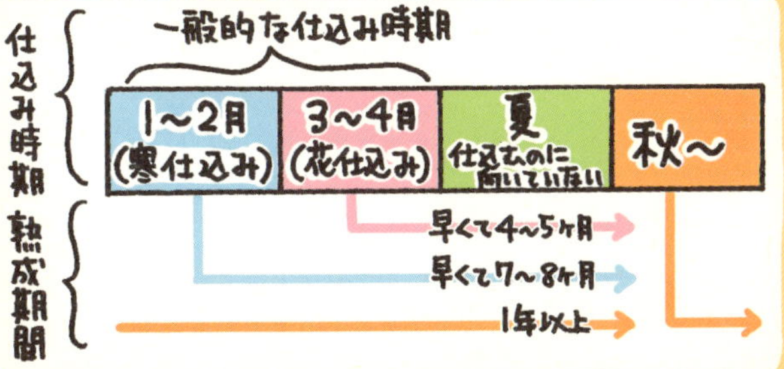
仕込み時期
熟成期間
一般的な仕込み時期
1〜2月（寒仕込み）
3〜4月（花仕込み）
夏
仕込むのに向いていない
秋〜
早くて4〜5ヶ月
早くて7〜8ヶ月
1年以上

どの時期に作っても夏を越えないと味噌にはならない。
夏を越すことで塩がなじみ、熟成が進んで風味が良くなる

大豆を水にひたすときは大きな鍋にたっぷりの水で！
あなどって小さい鍋でやると翌朝ビックリすることになります
水をすって大豆が2倍強にふくらむ
ちなみに"ひと晩"は一般的に8～10時間です
自分のスイミン時間＝一晩ではない。
3時寝の6時起きで3時間とか…
※季節や環境によっては、ひと晩でもふくらまないことも。豆のふくらみ具合を見て、時間を調整してください
水にひたしておいた大豆の皮がむけた場合は取り除きます
一緒に煮るとふきこぼれの原因になります
大豆は圧力鍋で煮ると時間を大幅に短縮できます！
普通の鍋だと4～5時間のところを圧力鍋なら沸騰後15分（＋蒸らし20分）
大豆をすりつぶすときはミキサー（フードプロセッサー）がオススメ
ウィ〜〜ン
早い！
数千円のものでもけっこう使える。
すり鉢やマッシャーでももちろんできますが…
つかれた〜
かなりハードです
マッシャーが曲がりました…

注
大豆を煮たときにでた煮汁は捨てない!!
この煮汁はあとで種水として使うのですが私はうっかり捨てたことがあります…
えーい
ザバーッ
レシピをちゃんと読まないからそういうことになる…
レシピは作りはじめる前に読んでしっかり頭に入れておこう！
もしも
煮汁を捨ててしまった場合は・・・？
その場合は…
新たに大豆を煮て、煮汁を作る!!
二度手間…
煮汁の代わりに水やお湯を入れることは絶対しないように！
夏に水腐れをおこし味噌が傷む原因になります
ひぃ〜
む〜ん…
また、仕込みをする保存容器はホーロー製かガラス製がオススメです
特にガラス製はカビが発見しやすく熟成度合も確められるので初心者向け
※カビは内側に生えることなく表面に生える
カビを発見した場合は煮沸消毒したスプーンなどで取り除きます
カビと変色した周囲の部分を多めに取りのぞく
カビを放っておくとどんどん広がり、味噌の味も落ちる。

味噌が"ふかふか"した状態になったら、底からすくうようにしてかき混ぜます
中にたまった炭酸ガスを抜く
これを"沸いた状態"という。
・保存温度が高い
・塩が少なすぎる
・種水の量が多すぎる
…とこうなる可能性があります
塩が足りなかった場合はその場で足して混ぜればOK
あとは重石をして応急処置
※ペットボトルに水を入れれば、重石代わりになります
保存は風通しが良く直射日光の当たらない場所に置くようにします
お味噌も暑いよね??
バフォハッ
「夏場は腐るのでは?」と冷房のきいた部屋に置きたくなるかもしれませんが夏の熱さが味噌の発酵を促すので冷房のきいてる場所は避けるようにしましょう
掲載レシピでは米麹を使った米味噌を紹介していますが麦麹が手に入った場合はぜひ麦味噌作りにもトライ!
私はネット通販で買っています♪
麦こうじ
麦味噌の材料
大豆 1kg
麦麹 1.5kg
塩 500g
麦味噌も作ってみたよ〜!
割合は 1:1.5:0.5
麹が麦麹になっただけで作り方は同じです

麦麹はパンみたいにい〜香りがするんです〜!!
むはー♥
仕込んでるときも熟成させてるときも…
味噌のできあがりは基本的にひと夏を越した後
でも半年以上たった方が熟成が進んでおいしいです
…とは言え、いつが食べ頃かは好みの問題なので、香りや色を自分の舌で見極めましょう
今が一番スキ!!
…と思ったら
密封して冷蔵庫で保管
そのままにしておくと熟成が進んで味が変わっちゃうから。
長い時間かけて自分好みに育てた味噌はなんだかとても愛おしい
サイコーにおいしい…
スリ
スリ
まさに手前味噌!
味噌の仕込みから1年後…
そう言えばなんでお味噌作りはじめたんだっけ?
ぎゃぴ
好きな人の誕生日プレゼントに渡すの!!
そこら辺の物じゃ私の愛は伝わらないと思って!!
プレゼントに味噌…?

かまぼこ

難易度 ★★★☆☆

材料　約2本分

白身魚　正味300g
卵白　1個分
塩　小さじ1/2
砂糖　大さじ1
みりん　大さじ1
片栗粉　大さじ1
浮き粉　大さじ1

※浮き粉は小麦粉のでんぷんのこと。プリプリ感が増すので、できれば手に入れたい。ない場合は、片栗粉大さじ1を大さじ2にする

準備する器具

すり鉢，かまぼこの板（オーブンシート），蒸し器

保存期間

冷蔵で5日

作り方

1 魚は皮、骨、血合いを取り除いて2〜3cm幅に切り、冷水に10分ほどつけて臭みや余分な脂を取る

2 1の水気をよく拭き取り包丁でミンチにしたら、すり鉢に入れ、なめらかになるまですりつぶす（20〜30分）

3 片栗粉と浮き粉はみりんで溶く

2→4の工程はフードプロセッサーで一気にやっても

4 2に卵白、砂糖、塩、3を加え、さらに5分ほどすりつぶす

5 4を使い終わったかまぼこの板（オーブンシートで作った型）にぬりつけるようにして盛る

6 5を室温で30分ほど休ませたあと、15〜20分強火で蒸す

ラップに包んだタネを巻きすで巻き，輪ゴムで止めて成形してもキレイに仕上がる

7 蒸し上がったらすぐ氷水に取って5分ほど冷やし、水気を拭き取る

市販品とは違った食感を楽しんで

はんぺん

難易度 ★★★☆☆

材料　約 10 枚分

白身魚　正味 300g
山芋　大さじ 3
卵白　1 個分
砂糖　小さじ 1
みりん　大さじ 2
浮き粉　大さじ 2

準備する器具

すり鉢 , おろし金 , ボウル , 耐熱皿(オーブンシート), 泡立て器

保存期間

冷蔵で 5 日

作り方

1 魚は皮、骨、血合いを取り除いて 2～3cm 幅に切り、冷水に 10 分ほどつけて臭みや余分な脂を取る

2 1 の水気をよく拭き取り包丁でミンチにしたら、すり鉢に入れ、なめらかになるまですりつぶす(20～30 分)

3 浮き粉はみりんで溶き、山芋はすりおろす

4 2 に砂糖と 3 を加え、さらに 5 分ほどすりつぶす

5 ボウルに卵白を入れ、角が立つまでよく泡立てたら、すり鉢に加え、泡を消さないよう切るように軽く混ぜる

6 5 を耐熱皿(オーブンシートで作った型)に 1cm 程度の厚さに平たく盛り、沸騰したお湯にそのまま入れ、強火で 10 分ほどゆでる

7 ゆで上がったらすぐ氷水に取って 5 分ほど冷やし、水気を拭き取る

揚げたてをしょうがじょうゆで！

さつま揚げ

難易度 ★★☆☆☆

材料 約10個分

あじ　正味300g
木綿豆腐　1/2丁
にんじん　1/3本
しょうが　1かけ
卵　1個
砂糖　大さじ2
塩　小さじ1/2
味噌　大さじ1
片栗粉　大さじ2

※魚は白身魚やイワシ、サバなどお好みの魚でOK。その他、ゴボウや枝豆、コーン、干しえび、きくらげ、えび、いかなどを入れてもおいしい

準備する器具

キッチンペーパー，おろし金，すり鉢，耐熱皿，木べら

保存期間

冷蔵で5日

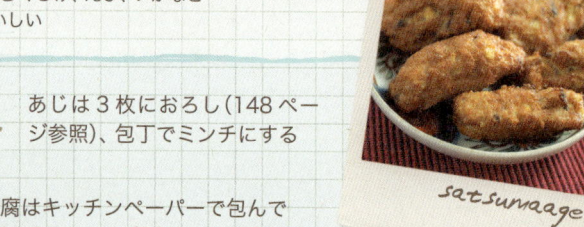

作り方

1 あじは3枚におろし(148ページ参照)、包丁でミンチにする

2 木綿豆腐はキッチンペーパーで包んで耐熱皿にのせ、レンジで1～2分(500W)加熱して水切りする。冷まして、粗くほぐしておく

3 にんじんとしょうがはすりおろす。しょうがは汁をしぼって、しょうが汁を作っておく

4 すり鉢に1を入れ、なめらかになるまですりつぶす(20～30分)

5 4に3、卵、砂糖、塩、味噌、片栗粉を入れ、よく混ぜ合わせたら、2を加えて木べらで切るようにして混ぜ合わせる

6 5をまな板に移して1cm程度の厚みにならし、10等分してお好みの形に成形する

7 6を160℃の油できつね色になるまで揚げる

タネを揚げ油に移すときは、フライ返しや包丁ですくうと、くずれにくい

うわぁぁあぁん…
どうしたの 豆は…？
どしたの??
オナカイタイ??
お〜〜い おい おい
好きな人にフラれたんだって 誕生日に手作り味噌渡して…
一年かけて作ったのに フビンな子だよ〜〜!…
手作り味噌!?
しかも一年がかり…
重ッ
豆って本当に私の妹？
かわいそうに…
手作りセーター より重いよ!!
私が男でも 絶対ふる!!
もうすぐ バレンタイン なのにねぇ…
い゙い゙も゙ん゙！
むくッ
今年のバレンタインは ボス（父）に 全力投球するから〜!!
ひぃっ!!
泣きはらして目はれてる

まめこしぇんしぇーがオバケに〜ッ
うわぁ〜かなしい〜…
なんとでも言いなさい!!私はそれでホワイトデーに欲しいものを買ってもらうんだもんッ
オバケじゃありません!!
そんなわけで父の好物である練り物を作ることに
…こうなったらエビでタイをつってやる!
練りものイロイロ
加熱方法によって違う練り物になります
すり身にする
成形する
焼く
蒸す
ゆでる
揚げる
ちくわ
かまぼこ
魚肉ソーセージ
はんぺん
つみれ
さつま揚げ

さつま揚げ
イロイロ☆
"さつま揚げ"は
西日本などでは「天ぷら」
鹿児島では「つきあげ」
などと呼ばれています
イカ巻き
エビ巻き
ゴボウ巻き
レンコン揚げ
銀杏巻き
チーズ巻き
ゆで卵
バクダン
ギョウザ巻き
シュウマイ揚げ
ウィンナー巻き
今日は見てるだけ〜
だけ〜
色んな材料で試してみてね！
そこの二人、手伝ってくれるなら三角きんして!!
さて、魚の練り物と言えばあのプリプリした弾力が魅力ですよね
オイシー！
プリプリ弾力
足のヒミツ
練り物の弾力は「足」と呼ばれています
麺で言うところの「コシ」
この足、どうやって生まれるか知りたい？
知りたーい!!
オバケッ!!

足は魚に含まれている「たんぱく質」と調理時に加える「塩」が反応して生まれます
アナタ…♡
た
塩
魚には数種類のたんぱく質が含まれているのですが、足を生みだすのは「塩溶性たんぱく質」
塩溶性
つまり、塩で溶け出すたんぱく質
この塩溶性たんぱく質が塩を加えることでほぐれて水を取り込み、足を生む！
水分に見向きもしなかった塩溶性たんぱく質が…
ツーーーン…
あそぼうよ!
水分
塩の登場で…
みんな仲良くしよう!!
ガッキリスクラム!!
水
ちなにに塩を加えない場合は…
水分
加熱したとき水分だけ出ていってしまい、プリプリ感のないものになる。
また、足の強さは次の条件によっても変わってきます
一、白身の方が赤身より足が強い
二、高い温度で加熱すると比較的、足の弱い魚でも足がでてくる
揚げ物とか
三、鮮度が落ちると足の強さは弱くなる

これらをふまえ
材料を選び
しっかり練って
足のある練り物を
作ってね!
またね～!
ありがと～!
こわい…
でき上がりロ
なんだコリャ…
さんざんカマボコが
出ておいて さつま揚げ…
バレンタインに
さつま揚げって…
ん?
ひらっ
お返しは
自転車ね♥
愛娘より
※何もあげていない
どれにしよっかな～♪
私電動の!!
チョピちゃんは
パンパン
マンの!!
目治った
自転車
カタログ
ガンバレッ!
エビタイ
みえみえ…
「二度と受け
取るまい!!」
と誓った
父であった…

大豆の味をしっかりと味わえる

納豆

難易度 ★★★☆☆

Natto

材料　約6パック分

大豆　100g
納豆(市販)　5〜10粒
※粒の大きさによる
水　20cc

※納豆は黒豆納豆等でもよい。また冷凍保存してあった納豆を自然解凍して使っても問題ない

準備する器具

ボウル，耐熱容器，ザル，キッチンペーパー(スノコ)，竹串，バスタオル等くるむ物，温度計，保存容器

保存期間

冷蔵で3日，冷凍で2週間

作り方

1 大豆は流水でザッと洗ってボウルに入れ、たっぷりの水にひたしてひと晩おく

大豆は煮てもよいですが、蒸すちが豆がべちゃっとしません
べちゃ…

2 1を指で簡単につぶせるくらいに柔らかくなるまで3〜4時間蒸す

3 水を沸かして耐熱容器に入れる。納豆を加え混ぜ合わせ、納豆菌を熱湯に溶かしておく

4 大豆はザルにあげてアツアツのうちに3を全体にまわしかけ、軽く混ぜる。大豆が冷めてしまうと、納豆菌の働きが弱まるだけでなく、雑菌が繁殖しやすくなってしまうので注意

5 保存容器にキッチンペーパーを2枚重ねて敷き、4を入れ平らにならす(水分が多いと、発酵しにくくなる)。容器に合うスノコがあればベスト

6 5の表面にラップをはりつけ、竹串などで10ヵ所ほど穴をあけ、発酵に必要な空気の通り道を作る

7 保存容器をバスタオルなどでくるみ、37〜42℃に保つ場所に置いて20時間前後発酵させる（40℃前後に保つ方法は19ページを参照）。温度が低いと発酵が進まず、逆に高いとアンモニア臭が強くなってしまう

8 大豆の表面が白く、糸を引いていたら成功。1日冷蔵庫に入れ、熟成させるとおいしくなる

ひき割り納豆の作り方

できあがった納豆を包丁で刻むだけでもできますが、ひと手間かけるなら次の方法にトライ！香ばしさが加わっておいしくなります

1、生の大豆をフライパンに入れ、きつね色になるまで中火でいる
2、1のあら熱が取れたら皮を取り除く
3、すり鉢などで細かく砕く
4、ボウルに入れて、たっぷりの水にひたしてひと晩置く。蒸す以降の工程は同じ

納豆の味付けアレンジ

味も臭いも強い納豆。でも意外といろんな調味料とマッチしちゃうのが不思議。定番のしょうゆ以外のオススメ味付けをご紹介

キムチ&生卵で

塩&黒こしょうで

わさび&マヨネーズで

もみじおろし&柚子胡椒で

味噌&ねぎで

酢&大葉で

チーズ&かつお節で

ポン酢&大根おろしで

KONNYAKU

芋から作る工程が楽しい！

こんにゃく

難易度 ★★★★☆

材 料　約10枚分

こんにゃく芋　1個(約500g)
炭酸ソーダ　20g(こんにゃく芋に対して4%)
水A　1.5ℓ(こんにゃく芋の3倍)
水B　200cc(こんにゃく芋に対して40%)

保存期間

冷蔵で2週間
※保存は水につけた状態で

準備する器具

タワシ，おろし金，ゴム手袋，木べら，温度計，バット

作り方

1 こんにゃく芋はタワシなどを使って水洗いし、皮や赤い芽、根などを取り除く

ゴム手袋をしないと手がかゆくなります!

2 鍋に水Aを入れ、ゴム手袋をして1のこんにゃく芋をおろし金ですって、入れていく。水の中でするとやりやすい。フードプロセッサーにかけてもよい

3 2を中火にかけて、焦げないように木べらでかき混ぜる。もったりしてくるまで10〜15分煮詰める

ハンバーグを成形するように丸めて、玉こんにゃくにしても!

4 水Bを40℃程度に温め、炭酸ソーダを加えてよく溶かす

5 3に4をまわし入れてよく混ぜ合わせたら、バットに流し入れて20分ほどおく

6 固まったのを確認したら水(分量外)をそそいで切り分け、たっぷりのお湯で30〜40分ゆでる。食べるときは熱湯に再度通し、アク抜きをする

※時間が経つにつれ煮えにくくなるので、早めに食べましょう

まずは納豆から
納豆は血液をサラサラにするのよ～
アミノ酸の旨み成分が増加するので100回以上かき混ぜてから食べよう!
ポイント① 大豆は気長に蒸す
ぐぅ
落ちこみ疲れたらしい。
蒸しが足りないと固めの納豆になります。
ポイント② 調理器具の消毒はしっかりと
雑菌が繁殖しないように使用する容器やスプーンなどは消毒した清潔な物を使おう!
雑菌が入ってしまうとできあがったときに異臭がします
ぷ〜〜ん…
納豆の匂いではない異臭…
そのときは廃棄!!
ポイント③ 納豆菌を溶かす水はかならず沸騰させる
これは水の殺菌も兼ねています
水道水の場合、カルキで納豆菌が死んでしまうこともあるので。
ポイント④ 大豆がアツアツのうちに納豆菌をいき渡らせる
冷めると納豆菌が弱まり
雑菌も繁殖しやすい

※ミネラルウォーターなら常温でも可

ポイント⑤
温度管理はしっかりと
37〜42℃で
20時間程度
ホカ
ホカ
低いと発酵が進まず高いとアンモニア臭が強くなります
高温
低温
ぷ〜〜ん
そして発酵
20時間っていうのが長いね〜
コタツとか電気代かかるし夜とか危ないからな〜…
う〜〜ん…
なのでうちの場合は…
クッション
毛布
タオル
プチプチに包んだ納豆
タオルでくるんだ湯たんぽ
ザブトン
ザブトン
クッション
クッション
ぐるぐるまき!!
夜、寝ている間はこのようにしてました。朝起きたときもまだ温かかった!!
あの子寝たままだけどまぁいっか…
スピー
また落ち込むと面倒だし…
チュン
チュン
さ!こんにゃく作るよー!!
寝れば忘れるタイプ

オハヨ〜
朝から
元気だね
あふ…
えーだって
こんにゃく
作りって
理科の実験
みたいで
すごく
楽しいん
だよ！
我が子ながら
あきれるほどの
単細胞!!
まあ楽でいいけど
むきむき…
匂いは…
川の底のよう!!
土っぽいって
ことね…
土がついてるからじゃん？
じゃあ全部
むいてから
もう一度
青くさい果物のような匂いがするよ!!
南国ちっく!! 青パパイヤみたいな??
ま
匂いは
もういいから
次の作業に
移りなよ…
すった状態
でんぷ
みたーい！
水にふれると…
カニカマ!!
煮ると…
もったり
してきた！
炭酸ソーダを
入れると…
香りも見ためも
一気にコンニャクに!!
おお〜!!

玉コンニャク作り
プルンチュルンとしててカワイイ!!
ハンバーグを作るときのように。お碗を使ってもやりやすいよ！
面白い〜！ホントに実験みたいだね！
でしょう！
わっせ
わっせ
ボチャン
ボチャン
お湯でゆで…
あくを取り…
ちょっと休ケイ…
ぐう…
テンションが上がりすぎて疲れた
15分後…
!!
ぶよ〜ん
エ…エチゼンクラゲ…？
あんなにかわいかったのに…
納豆はおいしくできたよ
ゆではじめはやわらかく形がくずれやすいので目を離さず、そっと扱ってくださいね

tofu + soy milk
+ okara

混じり気のないまっすぐな味

豆腐・豆乳・おから

難易度 ★★★★☆

材 料 豆腐:約2丁分　豆乳:約1.5kg分
おから:約500g分

大豆　300g
にがり　豆乳に対して1%
水A　1ℓ
水B　1ℓ

※にがりの種類によっては1%では固まらないことがあるので、そのときはにがりの量を増やす

準備する器具

牛乳パック, ミキサー, 木べら, ボウル, ザル, さらしの布, 温度計, 重石

保存期間

冷蔵で2日

作り方

1 ボウルに大豆と水Aを入れ、ひと晩置く

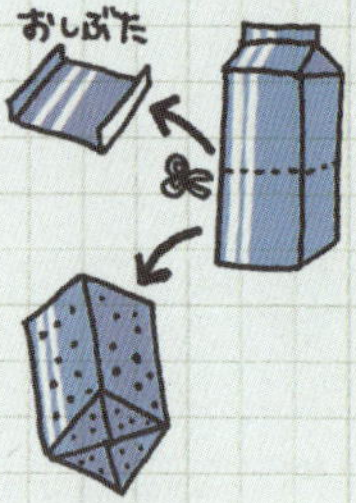
おしぶた

2 牛乳パックで型を2つ作る。下から10cmのところでカットし、水切り用の穴を底面と側面に各10ヵ所ほどあける。残った牛乳パックで、ひとまわり小さい押しぶたを作る。たくさん作るときは、牛乳パックを横にした状態で上面をカットしても

3 1を、つけておいた水ごとミキサーに3、4回に分けてかけ、なめらかなクリーム状にする

絞り取ったのが豆乳
で, 布巾に残っている
のが, おからだよ

4 鍋に水Bと3を入れて強火にかけ、でてくる泡をていねいに取り、沸騰寸前で弱火にする

5 木べらで混ぜながら7~8分煮る。焦げやすいので注意

6 ザルに水で濡らして固くしぼったさらしの布を敷き、ボウルに重ね、5を入れて1滴残さずしぼりこす。布は、袋状に縫っておくとしぼりやすい

7 豆乳の上澄みの泡をすくい取ったあと、重さを量り、にがりの量を決める。粉末のにがりを使用する場合は、5倍の水（分量外）に溶かす

8 鍋に豆乳を入れて中火にかけ、たえずかき混ぜ、70 ～ 72℃になったらいったん火を止める

9 7のにがりを木べらに沿わせて少しずつまわし入れ、大きく静かに3、4回かき混ぜたら鍋にふたをして、そのまま10分ほど置く

くずしながら入れると
固い豆腐に、くずさず
に入れると柔らかい豆腐
になります

10 2で作った2つの型にさらしの布を敷き、9をすくって入れ、押しぶたをする

11 押しぶたの上に重石をして15 ～ 30分置いて水切りをする

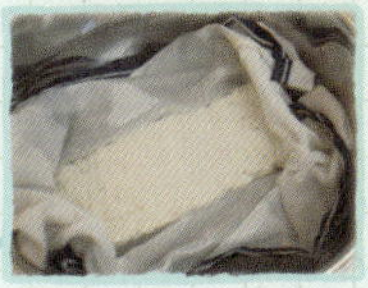

12 水を張ったボウルに型ごと豆腐を入れ、慎重に型からはずし、さらしの布も取って30分ほど水にさらす

yuba

甘くてなめらかな口当たり

ゆば

難易度 ★☆☆☆☆

材料

豆乳　適量

※成分無調整で大豆固形分10%以上のものが作りやすい

作り方

1 鍋に豆乳を入れて中火にかけ、小さな泡がプツプツとでてきたらとろ火にする

2 表面に膜が張ったら菜箸などですくう。しばらくしたらまた膜が張るので、同じ要領ですくっていく。焦げないように、ときどき鍋底からかき混ぜる

揚げ物のついでに作っておくと便利

油揚げ

難易度 ★☆☆☆☆

材料

木綿豆腐　適量

準備する器具

キッチンペーパー，耐熱皿

水切りをしっかりしないと，油あげがきれいに膨らまないよ

fried tofu SKINS

作り方

1 豆腐はキッチンペーパーで包んで耐熱皿にのせ、レンジで1～2分(500W)加熱して水切りをする

2 7mm程度に切り、水気をよく拭き取る

3 120～130℃の油で軽く色づくまで揚げたらいったん取りだし、油を200℃近くまで加熱して、きつね色になるまで再度揚げる

4 あら熱が取れたら、ラップでふんわり包みレンジで加熱する。ラップがふくらみ、中から水蒸気が上がったら加熱を止める

軽くあぶってアツアツをぱくり！

厚揚げ

難易度 ★☆☆☆☆

材料

豆腐(木綿でも絹でも)　適量

準備する器具

キッチンペーパー，耐熱皿

fried tofu

作り方

1 豆腐はキッチンペーパーで包んで耐熱皿にのせ、レンジで1～2分(500W)加熱して水切りをする

2 3～5cmに切り、水気をよく拭き取る

3 170～180℃の油で、きつね色になるまで揚げる。厚揚げは豆腐の食感を活かすため、高温で一気に揚げる

市販品とはまるで別物

高野豆腐

難易度 ★☆☆☆☆

材料

豆腐（木綿でも絹でも）　適量

準備する器具

キッチンペーパー，耐熱皿，保存容器

kouya-dofu

作り方

1 豆腐はキッチンペーパーで包んで耐熱皿にのせ、レンジで1〜2分(500W)加熱して水切りをする

2 あら熱が取れたら保存容器に入れ、凍らせる

3 一度解凍して水気を軽くしぼり、再度凍らせる。冷凍を2回行うことでキメが細かくなり、おいしくなる。使うときは、解凍して軽く水分をしぼる

さっくりふわふわした食感

がんもどき

難易度 ★★☆☆☆

材料　約8個分

木綿豆腐　1丁
にんじん　1/5本
しいたけ　1個
白ねぎ　5cm
きくらげ（乾燥）　5g
ひじき（乾燥）　小さじ1
小麦粉　大さじ2
塩　小さじ1/2

その他，鶏のひき肉，銀杏，ゴボウ，枝豆，ホタテなどを入れても

準備する器具

キッチンペーパー，耐熱皿，ボウル

ganmodoki

作り方

1 きくらげとひじきは水で戻し、水気を切る。にんじんは細切り、しいたけと白ねぎはみじん切りにする

2 豆腐はキッチンペーパーで包んで耐熱皿にのせ、レンジで1〜2分(500W)加熱して水切りをする

3 ボウルに1、2、小麦粉、塩を入れ、手でつぶしながら混ぜ合わせたら8等分して丸め、160〜170℃の油できつね色になるまで揚げる

最近、娘の様子がおかしい
おぁよ〜…
何が
おかしい
って…
肌荒れが尋常じゃない
今日も寒いねぇ…
ドーーーンッ
ね、ねえ
その…あの…
肌、大丈夫？
ビクッ
やっぱり
気づいてた？
失恋してヤケ食い
してたら
こんなことに
なっちゃってさ…
ついでに太った
フガーッ
パンッ
じゃ、お豆腐でも
作らない？
肌に良い
イソフラボンが
たっぷりだし
ダイエットにも
いいんだよ！
大豆もまだ余ってるし…
確かにね…
よ〜し！
そうしたら
ここらで女子力UP
させときますかぁ！

さっそく豆腐作り開始
計量
分量はきっちり量ろう!
水の量は正確に!水が多すぎると固まりにくかったりするよ!
ゆるゆる
豆乳をとる
これ、意外と量が多いので大きな布巾で袋を縫っておくとラクです!
小さい布巾でやると熱いです…
あち
あち
しぼり作業でできるのが…
おから
&
豆乳
おからも豆乳もとってもヘルシー
低カロリー!
コレステロール0《ゼロ》!
植物性たんぱく質が豊富!
豆乳は美肌効果もあり。女性は嬉しい!
おからは食物繊維豊富で便秘予防に!また脳の記憶力を高める成分も含んでいるよ!
お
と
おからを食べるときは加熱をしてから
布巾に残っている生のおからをから炒りして水分を飛ばし冷凍保存しておくと便利!
ハンバーグにお肉の代わりとして入れたり、クッキーに入れたり、いろいろと使えます
カレーに入れても!ルーを入れる前におから投入。しばらく煮てから、ルーを入れる。
"食べる"カレーになって栄養もボリュームも満点
姉が教えてくれた↓
オイシーよ!

そして豆乳で作れるのが…
湯葉と豆腐
ゆばは「湯波」「湯婆」とも書く。
湯波
豆乳の表面に浮かぶ
「浮波(うわ)」からという説。
湯婆
豆腐の姥の略語からという説
白くてシワシワだから?!
出来たては
甘ッ
トロッ
濃厚!!
70〜80℃以上になるとできてきます
そして豆乳にニガリを入れると固まってお豆腐に！
ニガリを入れるときは
説明書はよく読もう！
粉末でも液体でも大丈夫ですが、種類によっては濃さが違うので商品説明をよく読んでから使おう！
様子を見つつ少しずつ入れよう！
固まるタイミングがニガリの種類によって違うので様子を見つつ、少しずつまわし入れよう！
一ケ所にかたまるとニガイ!!
型に入れて木綿豆腐を作る前にもこんなお豆腐が楽しめます
おぼろ豆腐
鍋の中で固まった豆腐を汁ごとよそう。おぼろ月夜に見立てて
ざる豆腐
おぼろ豆腐をざるに盛ったもの
ホカホカで味が濃くてオイシ〜!!

木綿豆腐にひと手間加えると…
薄切りにして揚げれば…
油揚げッ
キツネの好物であるとされている
厚めに切って揚げれば…
厚揚げッ
生揚げとも言う。油揚げが2度揚げなのに対し、こちらは1度揚げ
凍らせれば…
高野豆腐ッ
紀州・高野山の僧が食べはじめたとされていることが由来。別名、凍り豆腐
野菜を混ぜて揚げれば…
がんもどきッ
精進料理では、その食感から肉の代わりとして使われることが多い
味噌につけこんで…
チーズのような濃厚さ
豆腐の味噌づけッ
レシピ
① 豆腐は2時間ほどしっかり水切りする
② 保存容器に味噌を敷き詰め、布巾で包んだ豆腐を漬け込む。2～3日で完成
※味噌は2～3回使いまわし。その後は味噌汁などに
わあ～大豆ひとつからいっぱいできたね
たぶんすごい量のイソフラボンだよ!
肌に良さそー
よし! これでキレイになって今度はたくあんで攻めてみるわ!
あ…いや そういうことではなく…

昔ながらの素朴な味わいをご家庭で

たくあん

難易度 ★★★☆☆

材料

11月末から12月頃に出回る
干し大根を使っても

大根　8kg(約８本)
ぬか　600g(干した後の大根に対して 15%)
塩　240g(干した後の大根に対して 6%)
ざらめ　100g
鷹の爪　３本
果物の皮(柿、りんご、みかんなど)　50g
昆布　30cm

※ぬかには、生ぬかといりぬかがあるが、どちらを使用してもいい。生ぬかはお米屋さん、いりぬかはスーパーなどで手に入る。果物の皮は特に柿の皮がオススメ。自然の甘みがでる

準備する器具

ザル , ひも , 漬け物容器(中ぶた付き), 重石

保存期間

冷暗所で 2～3 ヵ月

作り方

1 果物の皮はザルに並べ、水分が完全に飛んでカラカラになるまで天日干しをする

2 大根は葉をつけたまま洗い、葉のつけ根の部分にひもを巻きつけて、風通しの良い場所につり下げ15～20 日、天日干しをする。夕方以降は室内に取り込む。干したあとは約半分(4kg)の重さになる

3 2 の大根がUの字に曲がるくらいしなやかになったら、葉がバラバラにならないように葉のつけ根ギリギリで切り落とす

4 ぬか、塩、ざらめはよく混ぜ合わせ、漬け物容器に 2cm 程度敷く

5 大根を漬け物容器の形に沿って、できるだけ隙間がないようにきっちりと詰める。隙間がある場合は 3 で切り落とした葉を詰め平らにする

6 4 を大根が見えなくなる程度に敷き、その上に鷹の爪、果物の皮、5cm 幅に切った昆布を散らす

7 5→6 の工程を繰り返し、大根を詰め終えたら 4 をすべて敷き、最後に残っている葉をのせる

8 中ぶたをして重石をのせ、冷暗所に置く。重石は干し大根の重さの 2～3 倍のものを

9 2～3 週間して水が上がってきたら、重石を半分の重さにする。漬けてから 1 ヵ月後くらいから食べられる

濃厚でなめらかな口当たり

いかの塩辛

難易度 ★★☆☆☆

材 料

するめいか　1 杯
塩　いかに対して 3～5%
みりん、一味唐辛子等　お好みで

準備する器具

ボウル , 保存容器

保存期間

冷蔵で 1 週間

作り方

1 いかは流水で洗い、足のつけ根がある胴の部分に指を入れ足をゆっくりと引き抜く（内臓ごとでてくる）

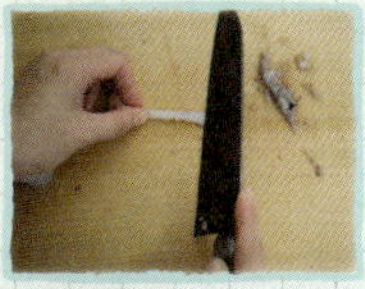

2 内臓から足を切り離し、吸盤をこそげ取る。手で胴からエンペラをはがす

3 足は適当な長さに切り、胴とエンペラは 5mm 幅に切り、ボウルに入れる

4 内臓は、エンペラ側にある赤黒い胃腸とわた袋についているスミ袋を破らないようにつまみ取る

5 わた袋から肝をしぼりだし、塩、お好みでみりん等を加えて混ぜ合わせる。保存期間中は 1 日 1、2 回混ぜる。作った直後から食べられるが、3 日を過ぎたあたりから味がなじみおいしくなる

いろんな具材のうま味が絡み合う

キムチ

難易度 ★★★☆☆

材料

白菜　1株（2kg）
塩　100g（白菜に対して5%）
大根　1/5本
にんじん　1/4本
長ねぎ　1本
にら　1/4束
にんにく　2片
しょうが　1かけ
りんご　2個
白ごま　20g
あみの塩辛　100g
唐辛子粉　大さじ3
煮干　20尾
水　200cc

※あみの塩辛は「いかの塩辛200g＋塩小さじ2＋干しえび10g」で代用可。いかの塩辛と干しえびは粗く刻んで

準備する器具

ボウル（大），中ぶた，重石，おろし金，保存容器

保存期間

冷蔵で2〜3週間

作り方

1 白菜は根元に十字の切り目を入れて手で4つに割き、葉と葉の間に塩をまぶす。塩は根元ほど多めに

2 大きめのボウルに1を入れ、中ぶたをしてから重石をのせひと晩置く。できれば、まんべんなく漬かるように途中で上下を入れ替えて

3 白菜から水がでてしんなりしたら、水洗いをして軽く水気をしぼる

これで出来上がったのが白菜の塩漬け。このまま食べてもおいしい。

4 煮干は頭とはらわたを取って鍋に入れ、水を加えて中火にかける。沸騰したら弱火にして、アクを取りながら3分ほど煮詰めてだしを取る。煮干は取り除く

5 大根、にんじん、しょうがはせん切りにし、長ねぎは5cm幅に切ってからせん切りにする。にらは5cm幅に切り、にんにくとりんごは皮をむいてすりおろす

6 ボウルに冷ました4、5、白ごま、あみの塩辛、唐辛子粉を入れてよく混ぜ合わせ、3の白菜の葉と葉の間にはさみ込む

7 保存容器に 6 を丸めるようにしてギュウギュウに詰め、平らにならす。最後に 6 で残った汁をまわし入れる

8 ふたをして 1～2 日は冷暗所に置き、それ以降は冷蔵庫で保存する。3 ～ 4 日後から食べられる

パリパリポリポリ止まらない！

福神漬け

難易度 ★★☆☆☆

材料

大根　1/2 本
にんじん　1/2 本
きゅうり　2 本
なす　2 本
しょうが　1 かけ
れんこん　小 1 節(150g)
昆布　10cm
塩　大さじ 2
A ┌ 砂糖　100g
　│ 酢　50cc
　│ しょうゆ　100cc
　│ 水　100cc
　└ 酒　100cc

お好みでたけのこや、ゴボウ、しいたけ鷹の爪などを入れても

準備する器具

ボウル , 保存容器

保存期間

冷蔵で 1 ヵ月

作り方

1 れんこんはいちょう切りにし、酢水(分量外／水 400cc に酢小さじ 2)に 15 分ほどつけアクを抜く

2 大根とにんじんはいちょう切り、きゅうりは輪切り、なすは半月切り、しょうがはせん切りにする

野菜はすべて 2mm 程度の厚さに切ってね

3 ボウルに 1 と 2 を入れ、塩をふって混ぜ合わせてひと晩置く。流水で塩をよく洗い流したあと、水分をしっかりとしぼる

4 鍋に A と昆布を入れて火にかけ、沸騰寸前で昆布を引き上げ、中火にして半分になるくらいまで煮詰める

5 4 の鍋に 3 を入れて軽く混ぜ合わせ、ひと煮たちしたら火を止める。あら熱が取れたら保存容器に移す。2～3 時間後から食べられるが、ひと晩おいた方が味がしみ込んでおいしくなる

「毎日こんなにがんばってお料理を作っているのに家族以外それをわかってくれないいなんてさみしいい!!」
——そうお嘆きのアナタ
あなたががんばっていることをご近所に知らしめる方法があるのです!!
…それが
干し大根!!
物干しに干し大根を干すことは…
あら?
干し大根?!
「私、がんばって主婦してます！」と旗を揚げているも同然!!
私ががんばって主婦してます!!
がんばってるのねー
エライわー!
高層マンションの場合どうなんだって話だけど…
では、さっそく干し大根を作んなきゃね☆
旗を揚げてやるんだいッ!
つーかアナタ主婦じゃないじゃん!!
主婦の鏡
その名はまめこ
干し大根をはじめとする漬け物祭りの開催です!

まずは干し大根を活かした漬け物、たくあんから
手作りならではの味が楽しめますッ！
と言うのも…
たくあんの色というのは、本来、米ぬかに含まれる菌の働きによってつくのだが、現在市販されているものの多くはウコンやクチナシ、着色料によって色づけされている。また、大根も干さずに塩などに漬けて短時間で水分を抜いているものも多い。昔ながらのたくあんの色や風味は市販品ではなかなか味わえない
たくあん二切れ物語
和食料理店などで、たくあんが二切れついてくることがありますよね。それにはこんな理由があると言われています
まく まく
江戸時代たくあんは人気のおかずでした
お侍さんに一切れだしたところ…
一切れ（人を斬れ）というのかーーッ!!
たいそうご立腹
全く怒りん坊なんだから!!
というわけで今度は三切れだしたところ…
三切れ（身を斬れ）というのかーーッ!!
またまたご立腹
ドーーンッ
どれだけ怒りん坊なのよ…
ホッ
ふ〜
そんなわけで二切れになったそうです

※関西では3を縁起の良い数字とし、あえて三切れ出すところもあるそうです

お次はキムチ
日本で一番食べられている漬け物は意外にもキムチ!!
キムチはおいしいだけでなく体にもとっても良いんです
乳酸菌が豊富!!
ビタミン豊富!!
ダイエット効果あり!!
女性は嬉しい!
キムチのポイントは〝あみの塩辛〟にあり!
クセがなく臭みも少ないので使いやすい!
このあみの塩辛がキムチのうま味と豊富な乳酸菌を生みだすのです
乳酸菌が活動するにはアミノ酸が必要。
ワー
キャー
乳
乳
アミはそのアミノ酸を豊富に持っている。
いかの塩辛と干しえびでも代用できますが
おいし〜ッ
やっぱりあみの塩辛で作った方が深みがあっておいしいです
深み。
白菜と一緒に大根やきゅうりを漬けてもいいですよね!
カクトゥギ
(カクテキ)
大根のキムチ
オイキムチ
キュウリのキムチ
どちらも白菜と同じように塩漬けしてから

お次は福神漬け
7種類の野菜を用いることから七福神になぞらえて福神漬!!
ダイコン
ナス
キュウリ
ナタマメ
レンコン
シソの実
シイタケ
一応この7種類といわれている。
他にも…
これさえあればおかず要らず☆
食費節約→お金貯まる
家に七福神がやってきたかのような幸福感☆
…が由来という説もあります
お漬け物の中でも比較的短時間でできるのでオススメです
福
…こんなにも
旗を揚げているというのに
誰も気がつかない…
もっとわかりやすいように玄関に容器を置いておこう
よいしょっと
がんばってるのは私がよ〜〜〜く分かったからやめて下さい!!

うま味がギュッと詰まった

干ししいたけ

難易度 ★☆☆☆☆

材 料

しいたけ　適量

準備する器具

ザル

保存期間

冷暗所で 2 ヵ月

作り方

1 しいたけは洗わずに、柄を下にしてザルに並べる。傘を下に向けて乾かすと、フチだけが先に乾くため形がくずれてしまう

2 元の大きさの 1/3 程度になるまで、風通しが良い場所で 3〜5 日天日干しをする

気軽に作れる保存食品

切り干し大根

難易度 ★☆☆☆☆

材 料

大根　適量

準備する器具

ザル

保存期間

冷蔵で 2 ヵ月

作り方

1 大根は皮をむき、5mm 角程度のせん切りにする。皮も一緒にせん切りにして使って OK

2 ザルに広げ、風通しが良い場所で 3〜5 日天日干しをする。大根が重なっている部分は乾きにくいので、まんべんなく広げて

甘みが凝縮！　ヘルシーおやつ

りんごチップ

難易度 ★☆☆☆☆

材料　りんご　適量

作り方

1 りんごは5mm程度にスライスし、水気を拭き取る（皮はむいてもむかなくても、お好みで）

2 オーブンシートを敷いた天板にりんごを並び入れ、100℃に熱したオーブンで2時間前後加熱する

揚げなくってもこんなにおいしい！

バナナチップ

難易度 ★★☆☆☆

材料　バナナ　適量

作り方

1 バナナは皮をむいて3〜4mmにスライスする

2 オーブンシートを敷いた天板に1を並び入れ、100℃に熱したオーブンで2〜3時間加熱する。完熟したものよりまだ固いものの方がパリッと仕上がる

いろんなドライフルーツを食べたくてキウイ、ぶどう、オレンジなどを天日干ししてみましたが、今のところ失敗つづき。多湿気候の日本では、天日干しでドライフルーツを作るのは難しいようです（りんごだけは、かろうじて成功）

これ見て～
どっさり
大安売りしてたー
大根にしいたけ…こんなにたくさん食べ切れないよ
いいのいいの！
これは干しちゃうから！
乾物――
それは昔ながらのステキな知恵
何がステキって！
①長期保存できる！
そして天日干しすることで
②旨み・香りが増す
③栄養が増す！
ブラボー!!
それになんといっても簡単！
切って干すだけ！
しいたけは干すだけ！
ではさっそく切り干し大根から
えいさー！
おいしい切り干し大根を作るのは日光と寒風！
12月以降の寒い時期に作るとおいしくできると言われています
お天気が続いてキリッとした空気の時作ると良い。

干し大根の色々
干し大根は切り方や干し方によって呼び方が変わります
干し大根
花丸切り干し
輪切りにして干す
角切り干し
短冊に切って干す
せん切り干し
細長く切って干す
切り干し大根
ねじ干し
そのまま干す
割り干し大根
縦に割って干す
ちなみに大根の葉を日陰干しした物を「ひば」という。
干葉
「ちば」ではなく「ひば」
ひば は一度湯通しして汁物や炒め物に使います。
その他 入浴剤としても利用されます。
(婦人科系の不調に効果があると言われる)
量がたくさんあって、切るのが面倒臭い場合はスライサーが便利
カンタンだし太さが均一にできる!
縦・横2等分に切ってやるとやりやすいよ!
重量は生大根の1/10にでも栄養はグーンとアップ!
切り干し大根
生
100gに!
1000gが…
切り干し大根は特に食物繊維、カルシウム鉄分が豊富!
鉄分なんかレバー並み!!

お次はしいたけ
I LOVE しいちゃん♥
触り心地良くって丸々しててカワイイよねえ♥小動物みたい…
大スキ!!
カワイイ!!
干ししいたけに限らず、普通に食べる場合も天日干しするのがオススメ！
骨を丈夫にする働きを持つビタミンD_2の量がかなり増えます
30分干すだけでもぐんとUP!
しいちゃんは
ひなたぼっこがスキ♥
——それはなぜか？
しいたけには"プロビタミンD_2"と呼ばれる物質が含まれています
プロビタミンD_2
プロ ビタミンD_2
pro vitamin D_2
前の
つまりビタミンD_2になる手前の物質ということ！
プロビタミンD_2は紫外線に当たることで…
ビタミンD_2に
変化!!
ビタミンD_2
プロ
しかし!!
酸化すると元のプロビタミンD_2に戻ってしまいます
酸化すると…
ハッ
プロビタミンD_2

1カ月でビタミンD_2の量は半分まで減少。日持ちはしますができるだけ早く使い切った方が良いでしょう

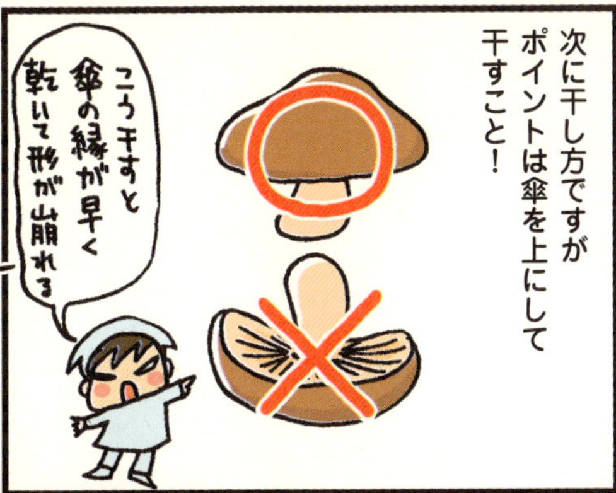

次に干し方ですがポイントは傘を上にして干すこと！
こう干すと傘の縁が早く乾いて形が崩れる

そしてこうなる…

干ししいたけの種類

備考	戻し時間	厚み	傘	
歯ごたえがある。そのまま中華料理や天ぷらに	長い（9～12時間）	肉厚	閉じぎみ	冬菇（どんこ）
スライスしたり、みじん切りにして他の材料と組み合わせる	短い（4～7時間）	薄め	開きぎみ	香信（こうしん）
傘がほとんど開いた状態のものを言う。見ためが悪いのでもっぱら業務用となる		薄い	ほとんど開いている	バレ

切り干し大根にも共通することですが天気の悪い日や夜間は部屋に取り込むようにしましょう
風の強い日は飛ばされないように！
…って
部屋ん中すごい匂いなんですけど…
乙女の寝室が…
しくしく…
この部屋オナラくさい!!
ぷ〜〜〜ん
キッパリ
犯人の切り干し大根

懐かしさがただよう優しい甘さ

アイスクリーム

難易度 ★★☆☆☆

材 料　約 500cc 分

生クリーム　200cc
牛乳　200cc
バニラオイル　2〜3 滴
卵黄　2 個分
砂糖　60g

※卵黄のみを入れることで、味が濃厚になる。素材の味がそのままでるので、なるべく新鮮なものを使う。バニラオイルはバニラエッセンスで代用できるが、オイルの方が香りが飛びにくい

ice cream

準備する器具

ボウル , 泡だて器 ,
木べら , バット

保存期間

冷凍で 2 週間

作り方

1　鍋に生クリーム、牛乳、バニラオイルを入れて火にかけ、小さな泡がプツプツとでてきたら火を止める

牛乳は沸騰させると風味が落ちるので注意!

2　ボウルに卵黄と砂糖を入れ、白っぽくなるまで泡立て器でかき混ぜる

3　1 の鍋に 2 を加え、よくかき混ぜたら弱火にかける

4　木べらで混ぜて砂糖を煮溶かす。少しとろみがでたら火を止める。沸騰させないように注意して

5　大きなボウルに氷水を張って 4 の鍋をあてて冷やす

6　あら熱が取れたらバットなどに移し、冷凍庫に入れる

7 1〜2時間したらフォークで空気を含ませるようにかき混ぜ、表面を平らにならして再び凍らせる。かき混ぜることで空気が入り、なめらかな口当たりになる

8 完全に固まるまで、1時間おきに7の作業を行う

2度目にかき混ぜるタイミングで、お好みのフルーツジャムを加えると、簡単にフルーツアイスを作ることができます

アイスクリームにかけると美味！

黒蜜

難易度 ★☆☆☆☆

材料 約50cc分

黒砂糖 50g
水あめ 大さじ2
水 50cc

※水あめは砂糖50gでも代用できますが、再結晶しやすくなります

保存期間

冷蔵で1週間

作り方

1 鍋にすべての材料を入れ、弱火にかける

2 黒砂糖からアクがでてくるのでていねいに取る。黒砂糖が溶けたら火を止め、あら熱を取る

古くなってしまった茶葉を使って

ほうじ茶

難易度 ★☆☆☆☆

材 料

煎茶や番茶　適量

作り方

1 油分をしっかりと拭き取ったフライパンに茶葉を入れる

2 茶葉が茶色くなるまで、焦げないように中火で10〜15分いる。長くいるとまろやかな味、軽くいると香ばしく渋みのある味に

さっぱりとした“和”なアイス

ほうじ茶アイス

難易度 ★★☆☆☆

材 料　約300cc分

生クリーム　100cc
牛乳　100cc
卵　1個
ほうじ茶葉　ティースプーン３杯
砂糖　大さじ２

準備する器具

茶こし，ボウル，泡だて器，バット

保存期間

冷凍で２週間

作り方

1 鍋に牛乳を入れて火にかけ、小さな泡がプツプツとでてきたら火を止め、ほうじ茶葉を入れてふたをする

2 そのまま５分ほど蒸らしたら茶葉をこし冷ましておく

3 生クリームを７分立て（生クリームで線が書けるくらい）にする

4 卵を卵黄と卵白に分けてボウルに入れ、それぞれ砂糖を大さじ１入れる。卵黄は白っぽくなるまで、卵白は軽く角が立つまで泡立てる

5　卵黄のボウルに4の卵白、2、3を加えてよく混ぜ合わせ、バットに流し入れて冷凍庫で凍らせる

6　1〜2時間したらフォークで空気を含ませるようにかき混ぜ、表面を平らにならして再び凍らせる

7　完全に固まるまで、1時間おきに6の作業を行う

手前：米麹で作ったもの
奥：酒粕で作ったもの

体の芯まであったまる

甘酒

難易度 ★★☆☆☆

材料

白米　1合
米麹　200g
水　900cc

保存期間

冷蔵で1週間

準備する器具

温度計

作り方

1　白米はといで鍋に入れ、水を加えて30分ほどひたす

まずは全粥を作ります。かき混ぜると粘り気が出て、味が悪くなってしまうよ

2　中火にかけて沸騰したら弱火にしてふたをし、40〜50分炊く

3　2が60℃まで下がったら麹を加え、かき混ぜる

4　炊飯器に移して保温状態に設定し、炊飯器のふたを開けたまま12時間ほど寝かせる。50〜60℃を保つことができれば、炊飯器の保温機能を使わなくても10時間前後でできます。温度が低いと酸味がでて、逆に高いと甘みがでない

5　途中で1、2回かき混ぜ、少し黄色みがかったらできあがり。そのままだと濃いので、好みに合わせてお湯や牛乳で3〜4倍に薄めて飲んで

突然ですが…
私は甘酒が大好き☆
甘酒というと冬に飲むイメージが強いようで、夏はあまり店頭で見かけません
甘酒ッ
甘酒はいずこ?!!
どこなら扱ってるの…？
夏には冷やしてゴクゴク飲みたい私はいつしか手作りするように
おフロ上がりにキーンと冷やした1杯！
んまーーッ!!
ビールのめないのでその代わりに…
ズルくなぁ〜い？
何よ？　急に！
えーだって自分ばっかり好きなもの作ってさ〜
作ってさ〜
(ま)…わかったよで、何を作って欲しいの？
アイスクリーム!!
ほうじ茶!!
…ほうじ茶って…
ハイ！
ハイハイ！

もう…
仕方ないな〜
まぁ…
いいでしょう
…この家族は…
今日は女性が喜ぶ
甘味&お茶祭り!!
わー!!
やったー!!
まずは甘酒から
甘酒は江戸時代に栄養ドリンクとして飲まれていたほど栄養満点なんです!
しかも夏バテ防止のために、夏の間だけ売られていた
骨粗しょう症・動脈硬化・老化の防止!
ガンの予防
便秘解消
さらに美白効果まであり、
まさに女性大喜びの一品!!
甘酒作りの基本はお粥作りにあり
お粥作りのポイント
・絶対かきまぜない!!(ねばりが出るから)
・沸騰後は弱火で!!(ふっくらした仕上がりに)
・吹きこぼさないよう火加減に注意!!(おいしくなくなる)
ちなみに……
三分粥
水々
米 1 : 水 20
五分粥
さらさら
米 1 : 水 10
七分粥
水多め
米 1 : 水 7
全粥
ぽってり
米 1 : 水 5

レシピでは白米と米麹で作る
甘酒を紹介しましたが
酒粕を使っても作ることが
できます
酒かす
スーパーや酒屋で売っている。酒屋での取り扱いは12〜1月のところが多い。
米麹で作る甘酒と違って
アルコール分が含まれるので
注意してください
ういッ
酒粕甘酒（2人分）
①鍋に酒粕50gを入れ、水200ccを少しずつ入れながら弱火で酒粕を煮溶かす
②酒粕の塊がなくなったら、砂糖大さじ1を加え、ひと煮たちさせる
お好みでしょうが汁を入れても！
お次はアイスクリーム
ポイントはちゃんと
一時間ごとに
混ぜること!!
うっかりしてると
ガッチガチに
固くなります。
ぎぃぃ
ぃぃぃッ!!
私はうっかりしすぎてフォークを曲げました…
このアイスクリームに黒蜜や
春の章で作ったきな粉やあんこを
かければ…
んま〜
和ッ
パーフェクト!!

最後はさっぱりほうじ茶
この煎ってる時の香りがたまらない!!
お茶屋さんみたく〜い!
いる時間によって味が変わるので自分好みのほうじ茶を見つけてみてください
ふほ〜〜
おいしいほうじ茶の淹れ方
3g
100℃
急須に茶葉 3g（ティースプーン２〜３杯）を入れ、100℃の湯をそそいで 30 秒！
この熱湯がポイントほうじ茶の香りをひき出します!
ちなみに…
煎茶は70℃
玉露は50℃
が、適温
おいしかったね〜
あのぅ…
私っシュークリームとパフェも好きなんですけどッ!!
作って下さい!!
おばあちゃんはまりこっもりがもうひとつ欲しいわ…
ダイエットはどうした!!

おわりに

今まで料理にほとんど興味のなかった私。
それがべっこう飴をきっかけに手作り生活に目覚めました。

何気なく食べていたものが「こんな材料、こんな作り方でできていたんだ！」と知ること。同じ食材が、作り方ひとつでいろんなレシピに変身すること。発酵させたり、燻製したりする作業が、自由研究みたいでワクワクすること。天候や季節を肌で感じながら作業をすること…。

そう、手作り生活ってとっても楽しい！

まだまだお料理勉強中の私が書かせていただいた一冊ですが、この本を読んで、一品でも「作ってみようかな」と思っていただけたらとてもとてもうれしいです。

私を見つけてくださった広報の岩田さん、フレッシュにサポートしてくださった小林さん、キュンとするほどかわいくデザインしてくださったデザイナーの永野さん、強力にプッシュしてくださった営業部の皆さん、試食に協力してくださった編集部の皆さん・友人たち（&そのご家族）、ネタにされつつも協力してくれた家族（特に、アシスタントとして全面的にがんばってくれたコミ）、そしてとっても細やかな気配りで、ぐいぐいひっぱってくださった編集の松永さん、そしてそして最後までこの本を読んでくださった読者の皆さま……本当にありがとうございました！

２００９年初夏　甘酒を作りつつ……　まめこ

cooking vocabulary 料理用語

下ごしらえ

アクを抜く
渋みや苦みのもとになるアクを、水や酢水にひたして抜き取ること。じゃがいもは水、ごぼうやれんこんは色も良くなるので酢水（水 2 カップに酢小さじ 1）で行うことが多い

こそげる
ごぼうや芋類、魚類など、タワシや包丁の刃先・背でこすって表面をそぎ落とすこと

さらす
食材を水にひたして、アク抜きや血抜きをすること

常温にもどす
冷蔵庫に入っていた食材を室内にだし冷気を取ること

ヘタを取る
包丁の刃先や角を使って、ヘタをくり抜くこと

もどす
ひじきなどの乾物を、水につけてやわらかくすること

いろんな切り方

いちょう切り
大根やにんじんなど、円筒状のものを縦に4つ割りし、適当な厚さに切る

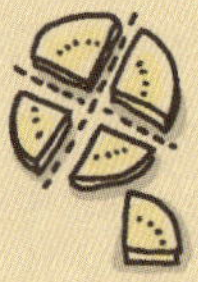

くし切り
玉ねぎなど、丸い野菜や果物を縦に2つ割りし、中心から放射線状に切る

薄切り（スライス）
食材を薄く一定の厚みに切る。大きい食材は、適当な大きさに切ってから

角切り（さいの目切り）
食材を7 mm ～1 cm 角のサイコロ状に切る

ざく切り
ひと口サイズを目安に、大まかにざくざく切ること

半月切り
大根などの円筒状のものを、縦に２つ割りし、適当な厚さに切る

拍子木切り
食材を 7mm～1cm の四角柱に切る

輪切り
切り口の丸い野菜を、円形に切る

火加減＆油の温度

とろ火
弱火よりさらに弱い。ギリギリ火が消えない程度

弱火
鍋底に炎が届かない程度の火加減

中火
鍋底にちょうど炎が当たる程度の火加減

強火
最大火力。鍋の横から炎がはみだす

低温
揚げ物をする際の油の温度。150～160℃。菜箸を入れて少しすると箸先からプツプツ泡がでる

中温
揚げ物をする際の油の温度。170～180℃。菜箸を入れてすぐに箸先から細かい泡がたくさんでる

高温
揚げ物をする際の油の温度。190℃以上。菜箸を入れてすぐに箸全体から勢いよく泡がたくさんでる

煮る

アクを取る
肉、魚、野菜を加熱したときにでてくる泡を、おたまなどでていねいに取り除くこと

煮詰める
ふたをせず、煮汁がほとんどなくなるまで煮ること

煮立たせる（煮立てる）
煮汁や水を火にかけて、フツフツと沸騰させること

煮出す
食材を煮ることによって、うま味や味などを汁に移すこと

ひと煮立ち
食材や調味料を入れて温度が下がった鍋を、再度沸騰するまで火にかけること

その他

味を調える
味見をしつつ、足りない調味料をおぎなって調整すること

味をなじませる
味を均等にいき渡らせること

あら熱を取る
熱いものを、人肌程度まで冷ますこと

陰干し
直射日光を避け、風通しの良い日陰で干す

天日干し
風通しの良い日向で干す

人肌
熱くも冷たくもない温度。35～45℃くらいを指すことが多い

休ませる（寝かせる）
調理途中に、材料をそのままの状態で置いておくこと。パン作りではベンチタイムとも言う

herbs & spices ハーブ＆スパイス

一般的に、ハーブは香草や薬草を指し、スパイスは木の実や皮・根・枝を指します。それぞれの特徴を知って、毎日の料理に積極的に使いましょう

ハーブ

フレッシュハーブ（生の葉）を使う場合は、ドライの 2～3 倍の量が目安。フレッシュとドライでは、香りの強さなどが違うハーブもあるので、上手に使い分けて。ハーブは家庭でも育てやすいので機会があったらチャレンジ！

オレガノ

チーズやトマトとの相性が良く、ピザやパスタ、リゾットなどによく合う。臭い消しにも有効で、クセの強い青魚にも。フレッシュより、ドライの方が香りが強い

セージ

豚肉と特に相性が良く、ハムやベーコン、ソーセージなどには欠かせない。また。チーズや豆ともよく合う。肉や魚の臭い消しとしても使われ、香りはよもぎに似ている

タイム

上品な香りと辛みがある。肉や魚のほか、玉ねぎやにんにくと合う。煮込み料理のほか、ロースト料理に合う。加熱することで味が強くなるので、使用量は控えめにする

バジル

イタリア料理のほかエスニック料理など様々な料理と合うが、トマトやなす、チーズとの相性が特に良い。フレッシュは、ペースト状にしてソースとして使っても

ローズマリー

ハーブの中でもかなり香味が強い。肉や魚、じゃがいもとの相性が良い。煮込み料理、ロースト料理にも合うほか、パン類やクッキーなどの焼き菓子ともよく合う

ローリエ（ベイリーフ・月桂樹）

ベイリーフ、月桂樹とも呼ばれる。さわやかな香りを持つ。肉や魚の臭い消しに。カレーやシチューなどの煮込み料理に使うことが多い。フランス料理によく使われる

スパイス

ホール（粒）、シード（種）、スティック（棒）など、種類によって形状は様々。これらをさらに細かくしたパウダーもある。本書は基本的に、使いやすいパウダーを使用している

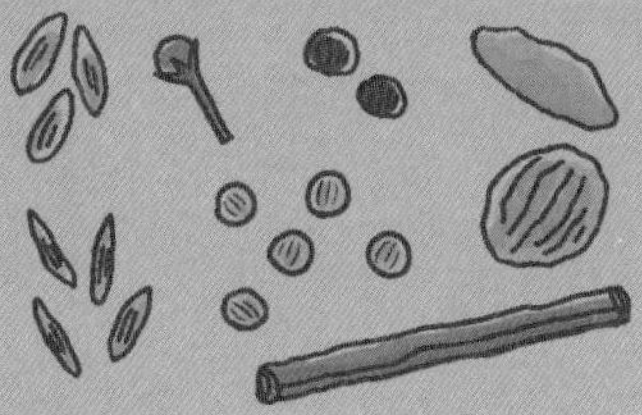

カルダモン

ピリッとした辛さを持ち、肉料理に合う。香りが強いので使用量には気をつける。クローブと相性が良い。パウダーを使用する場合は、1 粒＝小さじ 1/2 程度で

クミン

カレーには欠かせない香辛料。シードは炒めて香りをだし、パウダーは煮込み料理にそのまま入れることが多い。シード小さじ 1＝パウダー小さじ 1/2 が目安

クローブ

甘い香りと渋みを併せ持つ。肉の臭い消しとして効果が高く、煮込み料理によく合う。パウダーを使用する場合は、5 粒＝小さじ 1/3 程度。丁字とも呼ばれる

こしょう（ペッパー）

ホワイトとブラックが主流。ホワイトは上品で、ブラックは風味が強くよりスパイシー。肉、魚、野菜など多くの食材と相性が良い。使う直前にひくと、辛みと香りが引き立つ

コリアンダー

カレー粉の原料となる。肉や豆との相性が良く、煮込む調理に向いている。粒はピクルスやマリネに使われ、パウダーは煮込み料理に使われることが多い

シナモン

ニッキに似た香りで、かすかに辛みがある。砂糖との相性が良い。菓子類にはパウダーが使われる。パウダーを使用する場合は、1 本（3～4cm）＝小さじ 1 程度で

ターメリック

カレーの色づけに使われる。その他にもパエリア、ピラフ、マスタードなどに、色づけとして使われる。別名ウコンと呼ばれ、肝機能を回復する効能がある

ナツメグ

甘い香りとほろ苦さがある。ハンバーグやミートソースなどひき肉料理に合う。また甘い香りを活かし、菓子類にも使われる。毒性があるので 10g 以上は使用しない

convenient tools

そろえておくと便利な調理器具

すり鉢・すりこぎ
食材を細かくすりつぶすときに使用。ミキサー等で代用可能

ミキサー
水分の多い食材を粉砕し、液状にする

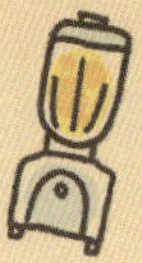

ミルサー
豆類や乾物など固い食材をパウダー状にする

フードプロセッサー
食材を細かく刻む、すりおろす、ペーストにするなど、アタッチメントによって機能が変わる

さらしの布
綿布や麻布。蒸すとき、こすときなどに使用

スライサー
材料を薄く、均一にスライスしたいときに

裏ごし器
食品をよりなめらかにするときに使用。目の細かいザルで代用可

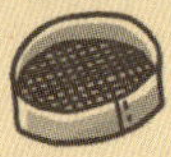

オーブンシート
耐熱性のある紙用品。食材がくっつきにくくなる。洗って繰り返し使えるものもある

粉ふるい
粉類などを事前にふるって粉の塊をほぐし、空気を入れる。目の細かいザルで代用可

温度計

温度管理ができあがりの決め手となるレシピで使用

ホーロー鍋
酸やアルカリに強い。また保温性も高く、鍋に臭いもつきにくいのが特徴

バット
角形の浅い容器。調味料で食材を漬け込んだり、揚げたものを置いたり用途はいろいろ

about disinfectants

消毒について

食材を保存する際の容器や調理時に使う器具などを前もって消毒することによって、腐敗やカビを大幅に減らすことができます。特に長期保存をする味噌や梅干し、ウスターソースなどの保存食は、必ず事前に消毒を行いましょう

方法① **煮沸消毒**
鍋にお湯を沸かして、容器や器具を 3 分以上煮る。菜箸などで引き上げ、そのまま自然乾燥させる

方法② **アルコール消毒**
容器や器具は台所用洗剤でよく洗い、自然乾燥させる。そのあとに食品用のアルコールスプレーを吹きかける。プラスチック製のものや、大きいものはこの方法で

食材換算表

ingredient conversion chart

小さじ 1、大さじ 1、1 カップがそれぞれ何 g なのか、以下の表で確認できます

名前	小さじ(5cc)	大さじ(15cc)	1カップ(200cc)
砂糖(上白糖)	3	10	120
砂糖(グラニュー糖)	4	12	160
塩	5	15	200
酢	5	15	200
しょうゆ	6	17	230
みりん	6	17	230
酒	5	15	200
味噌	6	18	230
ケチャップ	6	18	240
ウスターソース	5	16	220
バター	4	13	180
油	4	13	180
小麦粉	3	8	100
片栗粉	3	9	110
粉ゼラチン	3	10	130
生クリーム	5	15	200
牛乳	5	15	200
ベーキングパウダー	3	10	―
マヨネーズ	5	14	190
ごま	3	9	120
ヨーグルト	5	15	210
ドライイースト	3	9	―
昆布	横幅がどれも 10cm 程度のため、cm 表示が多い。 (5cm と表記してある場合は 5cm×10cm) 10cm＝10ｇ程度		
ハチミツ	7	22	290
水あめ	7	22	290
カレー粉	2	6	90

※単位は(g) ／『結婚一年生』(小社刊) 参考

た行

な行

は行

ま行

や行

ら行

わ行

index

あ行

か行

さ行

【参考文献】（50音順）

『うまい、カレー。』 著者：香取薫 発行：ナツメ社

『かんたん手づくり食品』 編集：財団法人ベターホーム協会 発行：ベターホーム出版局

『手づくり食品大百科』 編著：家の光協会 発行：家の光協会

『「手作り食品」レシピ』 監修：尾崎文 発行：主婦と生活社

『とことんおいしい自家製生活。』 著者：永井良史 発行：海と月社

【参考ウエブサイト】（50音順）

LifeBoat G http://members3.jcom.home.ne.jp/lifeboat.g/

新しい「農」のかたち http://www.new-agriculture.net/blog/

甘酒親分 .com http://www.amazakeoyabun.com/

S&B http://www.sbfoods.co.jp/

紀文 http://www.kibun.co.jp/

全国かまぼこ連合会 http://www.zenkama.com/

食べものずかん http://www.shoku-zukan.com/

辻調おいしいネット http://www.tsujicho.com/oishii/

東京ガス「食の生活 110 番Q＆A」 http://home.tokyo-gas.co.jp/shoku110/

TUKTUK http://www.tuk2.com/

豆乳のナチュラルパワー http://www.tounyu.org/

日清製粉 http://www.nisshin.com/

日本ジャム工業組合 http://www.jca-can.or.jp/~njkk/

日本豆腐協会 http://www.tofu-as.jp/

日本パスタ協会 http://www.pasta.or.jp/

はごろもフーズ http://www.hagoromofoods.co.jp/

播州ハム http://www.ham.co.jp/

松ヶ枝屋 http://www.e-dashi.com/

丸ヨ青木商店 http://www.maruyo-aoki.jp/

味噌汁行脚 http://www.misosiru-angya.com/

目指せ！燻製名人 http://www.kunsei-meijin.com/

大和製作所 http://www.yamatomfg.com/

※参考にしたウエブサイトの情報は、すべて 2009 年 5 月現在のものです。

著者 **まめこ**

埼玉県生まれ。ふたご座Ｂ型。
大学では国際関係学部、インドネシア語を専攻。その後インドネシア・バンドゥンへ２年間留学。帰国後、現在の活動を開始する。
著書に『いましめ系ようせい 給食当番』（幻冬舎コミックス)、『ウサギとタマネギ』（ゴマブックス)、『いばりんぼうライオン マーのたてがみ』（PHP研究所）などがある。
【HP】http://www.mamekonesia.com/

本書に対するご意見やご感想がありましたら、編集部までお寄せください。
また、実際にレシピを作ってみたという方のレポートもお待ちしております。
いずれも、下記の URL から投稿できます。
http://www.sanctuarybooks.jp/tedukuri/
※ご投稿いただいた感想やレポートは、販促物にて一部掲載させていただくことがあります。

あれも、これも、おいしい手作り生活。

2009 年 7 月 7 日　初版発行
2009 年 12 月 25 日　第9刷発行

絵と文　まめこ

装丁・デザイン　永野 久美
企画・広報　岩田 梨恵子
営業　二瓶 義基
編集　松永 倫枝
編集アシスタント　小林 容美
情報提供　サンクチュアリ出版

発行者　鶴巻 謙介

発行・発売
株式会社サンクチュアリ・パブリッシング（サンクチュアリ出版）
〒 160-0007 東京都新宿区荒木町 13-9 サンワールド四谷ビル
TEL 03-5369-2535 ／ FAX03-5369-2536
URL http://www.sanctuarybooks.jp/
E-mail info@sanctuarybooks.jp

印刷・製本　中央精版印刷株式会社